La collection ROMANICHELS
est dirigée par Josée Bonneville.

Quelques braises et du vent

Du même auteur

Hot Blues, roman, Montréal, XYZ éditeur, coll. «Romanichels», 2002.

Rosa-Lux et la baie des Anges, roman, Montréal, XYZ éditeur, coll. «Romanichels», 2003.

L'enterrement de Lénine, roman, Montréal, XYZ éditeur, coll. «Romanichels», 2006.

Bienvenue Welcome, roman, Montréal, XYZ éditeur, coll. «Romanichels», 2009.

Serge Bruneau

Quelques braises et du vent

roman

XYZ
éditeur

Catalogage avant publication de Bibliothèque et Archives nationales du Québec et Bibliothèque et Archives Canada

Bruneau, Serge, 1952-

  Quelques braises et du vent

  (Romanichels)

  ISBN 978-2-89261-685-9

  I. Titre. II. Collection: Romanichels.

PS8553.R854Q44 2012   C843'.6   C2011-942843-1
PS9553.R854Q44 2012

Les Éditions XYZ bénéficient du soutien financier des institutions suivantes pour leurs activités d'édition:
– Conseil des Arts du Canada;
– Gouvernement du Canada par l'entremise du Fonds du livre du Canada (FLC);
– Société de développement des entreprises culturelles du Québec (SODEC);
– Gouvernement du Québec par l'entremise du programme de crédit d'impôt pour l'édition de livres.

Conception typographique et montage: Édiscript enr.
Graphisme de la couverture: Zirval Design
Photographie de la couverture: Vizual Vortex Studio, shutterstock.com
Photographie de l'auteur: Denis Bernier

ISBN version imprimée: 978-2-89261-685-9
ISBN version numérique (PDF): 978-2-89261-686-6

Dépôt légal: 1er trimestre 2012
Bibliothèque et Archives nationales du Québec
Bibliothèque et Archives Canada

Diffusion/distribution au Canada:
Distribution HMH
1815, avenue De Lorimier
Montréal (Québec) H2K 3W6
www.distributionhmh.com

Diffusion/distribution en Europe:
Librairie du Québec/DNM
30, rue Gay-Lussac
75005 Paris, FRANCE
www.librairieduquebec.fr

Imprimé au Canada

www.editionsxyz.com

À Loup

*Remerciements particuliers à
Geneviève Forcier
et à Anna-Belle Marcotte*

Un

« J'ai vu notre père, hier soir. »

Marie disait « notre père » comme s'il s'agissait d'un caillou dans sa chaussure.

Je me tenais toujours sur mes gardes quand ma sœur abordait le sujet de Vic, le paternel. Je gardais en mémoire ces nombreuses fois où cette discussion nous avait chauffé la tête. On avait déjà frôlé les limites d'une rupture totale. Des trucs moches en sortaient et on se retrouvait un peu plus à cran d'une fois à l'autre. On savait pourtant que ce genre de cassures nous était interdit et que les mots, même les plus durs, n'arriveraient jamais à ébrécher notre alliance obligée.

À l'adolescence, entre nous, ç'avait été la guerre. Que la guerre. Partout la guerre. Dans les regards, les mots, les phrases, les soupirs… Même les silences étaient suspects. Le soupçon d'un reproche suffisait à déclencher les hostilités. Sa façon de m'adresser la parole, ou celle de se taire quand je sentais le besoin de l'entendre, de m'ignorer, de fouiner dans mes disques sans jamais me demander mon avis. Devant la télé, à table, au parc… Je détestais sa façon de s'habiller. Ses jupes ? Toujours trop courtes. Ses chandails ? Toujours trop échancrés. Et quand elle chaussait ses verres fumés qui lui donnaient l'air d'une pute, je ressentais cela comme une attaque. Elle haïssait mes cheveux qui refoulaient sur mes épaules, la mue qui ondulait mes phrases, les miettes d'idées que je prenais pour des opinions.

On se promettait une haine éternelle. On se haïssait pendant des jours. Deux ou trois, jamais plus. On en était tout simplement incapables.

C'était comme si on s'exerçait avant le grand saut dans la vie. Comme si on apprenait nos textes. On se mettait en scène. Les répétitions étaient longues. Parfois épuisantes. Ce que nous ignorions, c'était qu'elles étaient nécessaires pour sonder le pouls du monde.

Pour Marie comme pour moi, c'est par le chemin le plus cahoteux que la vie s'était rendue jusqu'à nous. Jamais rien ne nous avait été donné. Idem pour Karl, notre frère, ce cadet impétueux, toujours à courir sous les jupes de Marie ou avec ses copains efféminés. Lui aussi, Karl, pouvait devenir un sérieux sujet de controverse entre nous. Avec son trafic douteux de babioles insensées, de brocantes sans intérêt qu'il vendait à une armée de dupes qui ne demandaient pas mieux que de se faire enfirouaper par le premier beau parleur venu. Des ploucs sous-administrés. Avaleurs de couleuvres anesthésiés.

Marie n'y voyait que du feu. Elle aussi.

C'était comme ça depuis toujours. Je ne comptais plus les claques esquivées ou reçues qui trouvaient leur source dans les pleurnichages du jeune Karl.

« Il allait bien, le père ?

— T'imagines quand même pas que je lui ai parlé ! Même si j'avais voulu, il m'aurait pas reconnue… Il tenait à peine sur ses jambes. Le trottoir était pas assez large pour lui. »

Marie exagérait constamment quand il s'agissait de lui. Et ça, depuis toujours. Elle ne manquait jamais l'occasion de lui en foutre un peu plus sur le dos. Zéro qualité. Que des défauts. À la tonne! Et les pires, en plus. Parfois, je la soupçonnais de mentir, histoire d'alourdir son cas et de me le rendre détestable.

«Sois pas trop sévère, Marie. Tu sais qu'il a lu tous tes romans? De *Cratères* jusqu'à *Feu!*. Et il attend avec impatience la sortie du prochain. Tu devrais mettre la pédale douce.»

Elle a dressé le majeur de la main droite.

Bien sûr, il n'en n'avait pas lu la moindre ligne. Il refusait même de poser les yeux sur la couverture. C'était, selon lui, le prix à payer pour l'ingratitude de cette enfant qui l'avait enterré vivant, comme il disait.

Elle a poussé un long soupir en déposant la dernière boîte de carton. Devait y en avoir une douzaine qui occupaient une bonne partie du salon. Elle jurait que c'était une question de semaines. Je ne la croyais pas.

«Je veux pas t'emmerder avec ça. Trois semaines, max.»

Je la connaissais bien, ma sœur. Pas le choix, son sang était aussi le mien.

Je lui souriais pour qu'elle comprenne que ses boîtes ne m'empêcheraient pas de dormir. Je lui devais bien ce petit service. Combien de fois elle m'avait sorti des pires emmerdements sans jamais poser la moindre question?

En fait, je m'en foutais. Si ça pouvait provoquer chez elle un petit sourire, elle pouvait emmagasiner tous ses biens. Cette maison était encore trop grande pour ce que j'arrivais à en occuper. Quand j'étais pas sur ma chaise longue à regarder couler la rivière, mes déplacements allaient de la cuisine à la chambre. Vingt-deux pas, bien comptés. Quatorze coups de canne, tout aussi bien comptés. Aller seulement.

Le salon ressemblait à un flamboyant débarras où s'accumulait tout ce qui devenait inutile. Il ne se passait pas une semaine sans que je me fasse la promesse de remplir la boîte du pick-up et de rouler jusqu'au dépotoir le plus proche pour me délester de ce qui finissait par m'encombrer.

La chambre d'amis, c'était une pure rigolade. Plus personne ne mettait les pieds ici sauf Marie, tant qu'elle le désirait, et Karl, quand il s'imposait. Pour ce qui en était des autres, autant dire qu'ils habitaient sur une autre planète où il arrivait qu'on m'invite.

Je ne m'en plaignais pas.

Je ne me plaignais d'ailleurs plus jamais de rien. Je m'en étais longtemps gargarisé, de ces jérémiades (longues tirades sur le thème du désespoir et des voies sans issue), si bien que même l'idée d'émettre le moindre geignement ne m'effleurait plus. Depuis l'accident survenu un soir d'octobre, je goûtais les petits côtés sympathiques de la vie sans en demander davantage.

Quant au reste, je le rangeais du côté de l'inévitable et c'est tout juste si je n'en souriais pas.

Une odeur d'encre s'échappait des boîtes. Des feuillets fraîchement sortis des presses de l'imprimeur. Je le savais, mais je ne devais pas poser de questions. Je devinais que le Comité de défense de la rivière Sainte-Camille se trouvait à l'origine de ce tas de paperasse. Ils me faisaient rigoler avec leurs petits secrets qu'ils gardaient jalousement comme la pièce maîtresse d'un jeu dont ils ne contrôlaient aucune des règles. La « révolution verte » trônait en tête de liste des préoccupations d'une bande de social-écolos de la région. Un joyeux fouillis d'idéalistes avec quelques stars à grande gueule dont Marie, ma sœur.

« Et ta jambe ? me demanda-t-elle, les poings sur les hanches.

— Ça va. »

Les nuits où elle m'arrachait des larmes et des grimaces n'étaient plus qu'un mauvais souvenir. J'arrivais même à faire quelques pas sans devoir m'appuyer sur ma canne. Fini les courses à travers le parc et mes randonnées à travers les bois pour le simple plaisir de me frotter à cette nature rude et sans compromis. Quoi qu'en disait ma sœur Marie, je savais parfaitement que les choses n'allaient plus jamais être les mêmes. Je la laissais rêver du jour où je gambaderais comme un veau aux premiers jours du printemps. Dans ma situation, il n'y avait pas de recette pour voir l'avenir avec des étincelles dans les yeux. Je ne m'en plaignais pas, je le répète. Mais j'avais assez d'être éclopé sans devenir, en plus, le niais de service qui refuse l'évidence.

Elle a sifflé entre ses dents avant d'écraser sa cigarette dans le cendrier qui en avait déjà son lot. Je la sentais nerveuse. Fébrile et rageuse comme à l'adolescence à quelques jours de ses règles. Ces moments-là revenaient à vivre les deux pieds sur une mine qui pouvait sauter sans le moindre signe avant-coureur. Et on ne comptait pas les dommages collatéraux.

Marie en était à la rédaction de son cinquième roman qui, aux dernières nouvelles, s'intitulerait *Rendez-vous sur Mars*. Elle n'avait jamais eu la main pour les titres et il semblait que ça n'allait pas en s'améliorant. Si seulement elle s'était ouverte plutôt que de traiter son travail comme un secret d'État, j'aurais pu lui soumettre quelques idées. Rien de bien fracassant, mais tout de même mieux que ce qu'elle avait en tête. Je gardais tout ça pour moi. Je n'avais plus voix au chapitre. Elle gardait en mémoire ce fameux matin où j'avais déposé un manuscrit sur le coin de la table en affirmant que c'était la pire chose qu'elle avait écrite. Avais-je utilisé le mot scribouillage? Ou encore, merde? Lui avais-je souligné le caractère juvénile de sa plume? Bien possible. On sortait d'une guerre. Un truc à s'arracher les cheveux. J'aurais sans doute dû choisir des mots plus gentils, enfiler ces fameux gants blancs qui excusent tout. Mais les tensions se multipliaient entre nous et cette critique devenait la seule attaque que je pouvais me permettre. Avec elle, je n'avais jamais le choix des armes et je devais me contenter de ce qui me tombait sous la main.

Quand elle m'a demandé si j'avais des nouvelles du chantier, j'ai fait celui qui n'entendait pas. Celui qui a l'esprit trop occupé pour entendre ces petites questions qui rasent le sol parce que lestées de leur quotidienneté. D'ailleurs, je savais qu'elle savait. Francis, son… copain?… amoureux?… Enfin, le papa de son fils y travaillait, à ce même chantier. Un menuisier hors pair.

Quand elle a reposé sa question, j'ai secoué la tête en plongeant les mains dans l'évier où marinait une vaisselle de trois jours.

«Courtemanche a engagé un nouveau menuisier, me suis-je contenté de répondre. Pas grave…»

… pas grave. J'avais décidé qu'avec cette jambe qui traînait de la patte, un certain nombre de choses touchaient à leur fin. Le boulot se trouvait tout en haut de la liste. Même si aux yeux des autres je frôlais la catastrophe, je savais qu'en me serrant un peu la ceinture, l'abîme n'était pas pour demain. Devait bien me rester quelques tours dans mon sac me permettant de garder la tête hors de l'eau.

Marie saisit un linge pour essuyer la vaisselle et me répéta qu'il ne fallait pas la laisser sécher, que c'était le meilleur moyen pour que s'y collent des poussières dégueulasses que tôt ou tard j'allais bouffer.

«L'air est souvent malsain.»

Elle répétait que s'il y en avait une qui s'y connaissait en la matière, c'était bien elle.

« Premièrement, ton eau est pas assez chaude. »

Experte pour la lessive, l'époussetage, le torchage en tout genre. Le vrai portrait de sa mère. Enfin, j'imagine. Je gardais un vague souvenir de notre mère. Comme une photo floue dans un album écorné. À sa mort, Marie s'était sentie dans l'obligation de tout prendre en main. De gérer le chaos, pour ainsi dire. J'ai donc appris à coudre un bouton, à rafistoler un ourlet et à regarder une pièce de viande sans m'évanouir. Quant à Karl, il n'apprenait jamais rien. Trop petit, disait Marie. Pour ma part, je restais convaincu qu'on avait sous les yeux un irrécupérable imbécile.

Souvent, la nuit, à la demande de ma sœur, je m'envoyais une douzaine de *Je vous salue Marie* avec une telle ferveur que mes doigts entrecroisés en devenaient blancs aux jointures. Pour être bien certain d'avoir le compte, j'ajoutais une prière. Je crois bien être l'inventeur du concept treize à la douzaine. Je croyais au ciel, mais je restais incapable d'envisager l'existence de flammes éternelles. C'était sans doute ce qui, à cette époque, m'aidait à dormir sans être secoué de cauchemars.

Quant à « notre père », c'était pas tant qu'il était absent, c'était qu'il était ailleurs.

Alors, j'écoutais sans rien ajouter parce que ça lui faisait plaisir de croire qu'elle pouvait encore garder un œil sur notre évolution, autant la mienne que celle de Karl, et de nous conseiller sur ce qu'elle jugeait essentiel. C'était ma façon d'acheter la paix à bas prix parce que ça sautait aux yeux qu'elle avait les nerfs à cran. « Ça ira mieux, me disais-je, une fois son manuscrit déposé. » Elle n'avait jamais essuyé de refus (son éditeur la gavait de compliments et de promesses) et je me sentais prêt à déposer mon cœur aux pieds de n'importe quel Dieu pour que la chose se répète jusqu'à la fin des temps.

La tâche achevée, Marie a fouillé dans son sac pour retoucher cette gueule qu'elle jugeait prématurément vieillie. Je savais parfaitement qu'il ne manquait pas de gars pour se retourner sur son passage. Depuis l'adolescence, Marie faisait tourner les têtes et il était loin le jour où on ne la remarquerait plus. Elle faisait partie de ces gens qui suscitent la curiosité ou l'envie. Elle en avait payé le prix, c'est sûr. On ne parade pas une gueule pareille sans que quelques troufions ne viennent la brasser. Toute une armée de beaux parleurs qui, une fois repus, l'ont tassée de leur route. Toujours, ça se noyait dans un flot de larmes que je regardais couler. Impuissant. Sans recours. Je me jurais qu'un de ces jours, je leur casserais la gueule. Tous. Sans exception. L'un derrière l'autre. Pif! Paf! J'en faisais un point d'honneur. Il m'apparaissait inacceptable qu'on puisse même songer à faire de la peine à Marie. Qu'on puisse la traiter comme on traitait toutes les autres.

« Tu me jures que t'iras pas fouiner là-dedans? me demandait-elle en pointant ses boîtes.

— Croix sur mon cœur, j'ai fait.

— Je veux même pas que tu y touches. C'est lourd. Tu pourrais te blesser. Enfin…

— C'est pour ma jambe, ta mise en garde, ou pour que je découvre pas le grand secret qui va mettre le monde sens dessus dessous?

— Les deux. Je laisse les boîtes ici parce que j'ai confiance, Marc. Pour ce qui est du reste, tu le sauras en temps et lieu. »

C'était le prix à payer pour mon refus de m'impliquer dans ce comité de défense. À une époque, Marie ne ratait jamais une occasion de m'inviter à m'y intéresser. Elle voyait en chaque citoyen une parcelle de la Grande Solution qu'elle appelait de tout son être. Mon refus devenait sa défaite. Et moi, ça me fournissait l'occasion de me tenir debout devant ma sœur. Pas vraiment pour la contrarier, mais parce que je ne voyais pas ce qu'un éclopé irait glaner dans ce genre de groupes qui carburaient à l'espoir.

À ce moment, je croyais que chacun devait faire de son mieux pour tirer son épingle du jeu. Depuis que je m'étais bousillé une jambe, je voyais le monde comme un fourre-tout indescriptible duquel il n'y avait rien à espérer d'un brin potable. La collectivité n'était qu'une abstraction encombrante dont on devait se dé-droguer pour jouir des petits plaisirs quand ils se présentaient. Je lisais des tas de trucs auxquels je ne comprenais pas grand-chose, mais je jugeais que c'était suffisant pour jeter un regard sur le monde et en tirer des conclusions.

Quel choix me laissait mon état?

Je me suis installé devant la fenêtre, histoire de voir ce que le ciel me réservait comme journée. Ni claire ni ombragée. Chaude, à coup sûr. Pour ce qui était des orages, tout restait possible. Il pleuvait trop peu, et les feuilles encore vertes se détachaient des arbres au moindre vent. Même la rivière Sainte-Camille coulait avec une lenteur qu'on ne lui connaissait pas. D'habitude rageuse et imprévisible, elle humectait ses rives comme on se trempe les lèvres dans un verre à moitié vide.

Marie n'avait pas abordé le cas de mes finances personnelles. Je savais qu'elle en mourait d'envie, qu'elle déployait un effort de titan pour éviter la question. Nous nous étions entendus pour éviter ce sujet sur lequel, dans le passé, nous finissions toujours par nous chamailler. C'est tout juste si elle ne me voyait pas dans l'obligation de roupiller sur un banc de parc et de mendier ma pitance dans les rues du centre-ville. Dépenaillé, loqueteux et bouffi par de mauvais alcools. Je savais ce qu'elle craignait. Elle devait en rêver. Elle appréhendait ce matin où, croyait-elle, j'allais enfiler les godasses du paternel pour remonter la même route et me prendre dans les mêmes pièges que lui.

« Envie d'aller au resto ? Je commence à midi, ça nous laisse une heure. »

L'idée m'intéressait. Pas pour la bouffe qui semblait s'affadir un peu plus d'un jour à l'autre. Sans saveur ni relief. J'avais décelé de la crasse sous les ongles du cuisinier. Marie me répétait que j'exagérais. Qu'il n'était pas un modèle, mais qu'il s'en tirait quand même correctement. La seule raison qui m'attirait à ce resto n'était pas au menu et s'appelait Mado. Une collègue de Marie dont la présence rendait cette nourriture potable. La fille me rappelait Béatrice, une vieille flamme qui avait fait sa marque.

Marie a refermé la porte en balayant l'air de sa main pour chasser un insecte. J'ai levé les yeux pour constater que le ciel restait dégagé et d'un bleu sans tache. Il y avait un ou deux nuages, mais ils étaient si minces, si ténus, qu'on voyait presque au travers. Rien pour rivaliser avec les rayons qui nous assommaient depuis un bon moment et qui noyaient mes jours comme mes nuits dans une mer de sueur.

« À tout de suite », a-t-elle envoyé avant de filer au volant d'une bagnole qui tenait le coup par miracle.

J'ai lancé quelques cailloux dans la rivière avant de me mettre au volant du pick-up qui cuisait littéralement.

On avait bel et bien prédit des averses soutenues mais, depuis quelques semaines, les prédictions météorologiques ressemblaient à des promesses d'ivrogne.

Deux

Je regardais Mado penchée au-dessus d'une table qu'elle nettoyait. Sa croupe se balançait au rythme du torchon qu'elle passait avec vigueur. Son slip plus rouge qu'un soleil couchant dépassait de la taille d'un jeans serré à mort. Forcément, ça me plantait quelques idées dans le crâne. Depuis l'accident, n'en étais-je pas réduit à ces quelques images qui se présentaient innocemment ? Toutes ces femmes à qui je n'osais plus adresser une parole autre qu'utilitaire n'en restaient pas moins de fabuleux objets de désir. J'aurais bien voulu actualiser tout ça. Tous ces foutus fantasmes qui m'asséchaient la cervelle… Mais rien ne me paraissait plus ardu que de tenter une approche, même banale. Certaines me souriaient, d'autres me regardaient avec un brin d'insistance.

Je restais sourd aux chants des sirènes.

« Qu'est-ce que tu prépares, au juste ?

— Rien. Tu parles de quoi ? Les boîtes ? Des tracts, pour une manif sur laquelle on travaille. »

Je savais qu'il y avait plus que ça. Si Marie était la reine des menteuses, j'étais, pour ma part, le roi des sceptiques. Elle ne m'en passait pas souvent sous le nez sans que je dresse l'oreille. Ça s'inscrivait dans son regard, et sa voix prenait une tonalité différente. À peine perceptible mais flagrante à mon oreille. Mille fois elle avait tenté de déjouer ma perspicacité. Mille fois je l'avais coincée au détour. On ne trompe pas son double. Et de la voir glisser vers d'autres sujets ne faisait que m'ancrer dans ma conviction. Dans ces cas-là, la littérature avait le dos large. Tel auteur qui divaguait... Tel éditeur tatillon... Et cette «putain» de bourse qui venait encore de lui glisser entre les doigts...

Souvent, avant de m'étourdir, je prenais les devants.

«Ça avance, ton roman? me suis-je risqué pendant qu'elle chipotait dans son assiette.

— Je dois m'appliquer, tu vois. Je dois mettre plus de sérieux si je veux que ça décolle. J'en ai jusque-là de l'ombre et, pour en sortir, je dois m'appliquer. Y mettre le paquet, comme on dit.»

Elle jurait que son étoile allait briller de tous ses feux. Rien de moins. À l'entendre, son moment était arrivé et elle n'allait pas rester les bras croisés à le laisser passer, la bouche ouverte et le regard absent comme une sotte qu'on laisse sur le quai d'une gare. «*No way!*» Son discours ressemblait à celui d'un gribouilleur que j'avais connu et qui a fini ses jours à s'écorcher l'âme au volant d'un taxi, à sillonner le centre-ville à raison d'une soixantaine d'heures par semaine. Pour quelques miettes. De quoi perdre la raison. Un bon matin, on a retrouvé la bagnole sur les rives du Saint-Laurent, jamais le chauffeur.

Ça m'inquiétait.

«Oui, mais faut pas mêler les cartes, je suis une écrivaine et pas une tête d'oie qui s'émoustille devant deux phrases qui tiennent la route...»

J'écoutais en opinant du bonnet et en songeant qu'au bout du compte Marie était, des trois rejetons, celle qui avait hérité le plus de ce farouche idéalisme qui caractérisait Victor, «notre père». Enfin, l'autre Victor. Celui qui restait capable d'avaler quelques verres sans y noyer sa conscience et qui pouvait vous entretenir de concepts tortueux mais jamais fumeux. Le Victor un peu plus réfléchi et surtout dénué de ces effets de toge qui ensorcellent l'interlocuteur avant de l'envoyer au tapis.

Y avait-il quelque part, dans l'étroitesse du firmament littéraire, une petite place pour l'étoile de Marie? Ça restait à voir. Et pourquoi pas? Jusque-là, ses écrits puaient les bagnoles déglinguées, la sueur de *waitress*, les saisons qui s'éternisent, les baises furtives et les inévitables sales types. Bref, la zone ombragée de la vie. Je lui souhaitais tout de même le meilleur du monde sans qu'elle eût pour autant à putasser plus que la moyenne. On peut toujours vendre son âme au diable, mais on sait bien qu'il est mauvais payeur. C'était pas à Marie que j'allais énoncer cette lapalissade.

«De toute façon, j'ai pas besoin de beaucoup pour vivre...»

Elle m'a annoncé ça comme si c'était une sacrée bonne nouvelle. Pourtant, à mes yeux, elle courait tout droit à la catastrophe, avec son marmot, les couches, la bouffe, la morve à torcher à coup de coûteuses prescriptions.

«C'est une bonne idée, Marie. Depuis le temps que je te répète qu'il est temps que tu te mettes à l'écriture plus sérieusement... Très bonne idée.

— D'autant plus que Francis et moi... Ben, on essaie pour la millième fois de ressembler à un vrai couple. On dirait que ça va fonctionner.»

À la bonne heure, pensais-je. Ce bon Francis, le papa de Martin, celui sur qui tombaient tous les travers d'une existence en duo. Ce brave homme revenait dans le décor pour y rester. J'en jubilais intérieurement. Mais où trouvait-il l'énergie pour remettre l'épaule à cette roue qui n'avait encore jamais tourné rondement? Ma satisfaction tenait au fait qu'une fois Francis dans le portrait, Marie devenait supportable, en ce sens qu'il écopait sans se plaindre. Le saint homme n'était pas dupe des caprices répétés de ma sœur mais, m'avait-il confié un soir où il avait abusé de l'alcool, c'était le prix à payer pour vivre aux côtés de la « plus merveilleuse des femmes ». « Tu veux me répéter ça ? » l'avais-je supplié. « Enfin un, je me disais, enfin un qui reconnaît la singularité de cette femme, qui oublie les morceaux qu'il y laisse pour se concentrer sur l'exceptionnelle particularité de cette Marie pleine de grâce… »

« Ça devrait marcher, avançai-je pour la rassurer.

— Tout dépend de lui.

— Je parle pas de Francis, je parle de ton travail de romancière.

— Je le souhaite, parce que vraiment, Marc, je vois pas comment je vais pouvoir continuer. Mais ça reste entre nous, hein ? Je veux pas que ça se rende aux oreilles du boss. Ça vaut aussi pour le bonhomme. De toute façon, je veux même pas que tu lui parles de moi. Serait bien capable de se pointer ici pour me donner des conseils. »

Faux. Archi faux. Victor savait faire le mort et surtout quand on le poignardait dans le dos. Il n'esquivait même plus les coups, n'esquissait pas l'ombre d'une défense. Victor savait briller par son absence. Et n'était-ce pas la raison de cette rage qu'elle nourrissait à son égard ?

« C'est un inconscient… »

Ça aussi, c'était discutable.

« Oh, je sais que t'es pas d'accord mais, tu vois, ç'a beau être notre père, pour moi, il est mort et enterré. Six pieds sous terre. »

Je n'ai rien répondu.

« Je te comprends pas, Marc. Je comprends pas pourquoi je dois t'expliquer tout ça. C'est comme si t'avais pas été présent pendant toutes ces années. »

Non, elle ne comprenait pas et fallait pas compter sur moi pour me lancer dans l'explication de l'inexplicable. Je connaissais ce terrain où trop souvent je m'étais pris les pieds. Ce qui pour moi commandait une certaine respectabilité chez Victor, c'était la totalité de son refus, la violence de son absence. J'enviais son regard sur un monde perdu. Alors que nous pataugions dans l'absurdité, que nous nous soumettions à la dictature de l'efficacité, que nous nous sacrifiions sur l'autel de la rentabilité, il y avait cet homme qui tournait le dos aux éreintantes valeurs de ce monde dans une noblesse crasseuse mais tout de même altière.

Qu'elle ne comprenne pas ne l'empêchait pas de revenir sur le cas. Son sujet préféré autour duquel elle élaborait toute une série de reproches qui remontaient à Mathusalem et dans lesquels elle mordait comme une lionne dans sa proie. Elle avait beau faire la féroce, la Marie, jamais personne ne la prenait au sérieux. Personne sauf Francis avec son regard de chien battu qui cédait, le dos chargé de griefs et le pas lourd.

Et puis Marie s'usait les nerfs, dans ce *delicatessen*, à trimballer des spaghat *meat balls*, des soupes aux pois, des *smoked meat*, sans parler des saletés de poutines qu'elle servait à la douzaine avec cet espèce de sourire forcé qu'elle se plaquait sur la gueule en échange d'un pourboire potentiellement généreux et généralement miteux.

Depuis quelque temps, elle semblait s'amuser à creuser le fossé qui la séparait des gens. Ça me rendait fou. À grands coups de bêche, elle élargissait une distance qui risquait de devenir infranchissable. Qu'un pont surgisse, elle le faisait sauter avec ce regard qui vous faisait dresser les cheveux. Quand il lui arrivait de s'ancrer, c'était à son fils chétif ou à Karl, tout aussi frêle et totalement insaisissable.

Et elle attaquait sur tous les fronts sans vraiment se soucier de ce qui se trouvait éclaboussé. Et elle comptait sur moi pour accepter ses états d'âme. Pour justifier ses sautes d'humeur, comprendre ses désespoirs ou, plus simplement, l'écouter discourir sur le sens des choses.

Elle était moi et j'étais elle, m'avait-elle seriné tout au long de notre enfance. On était jumeaux et c'était tout dire de la complicité qui devait nous unir «à la vie, à la mort».

«Bon, le cirque commence», dit-elle en se levant de son siège.

J'ai jeté un coup d'œil à l'horloge pour comprendre que, dans les minutes qui allaient suivre, la place se remplirait de gars et de filles qui travaillaient à l'usine située à deux pas du resto et surmontée de néons géants qui affichaient ce nom qui traversait les continents : ZEMCO.

On les reconnaissait, les pauvres, au premier regard, avec leur teint pâle, et on devinait leurs poumons encrassés de fines particules de coton. Voilà le prix à payer pour la réputation des fameux draps ZEMCO dans lesquels «vous dormez comme sur un nuage». De père en fils, de mère en fille, d'oncle en neveu, de tante en nièce, un bon trente pour cent de cette ville s'était retroussé les manches pour que les draps ZEMCO s'exportent à travers le monde. Sans compter ses usines satellites qui, comme la peste, contaminaient quelques pays d'Asie. Avec la réussite venait la multiplication des détracteurs altermondialistes qui grognaient de plus en plus souvent et avec une colère grandissante. «Bien fait pour la région», pensaient une majorité des gens de la ville qui craignaient de voir fondre les profits collatéraux qui échouaient dans leurs poches.

J'ai salué Marie qui s'éloignait en nouant son tablier. Un mince sourire a suivi à l'attention de Mado.

Et puis j'ai marché.

La canne sous le bras, j'avançais plein nord. J'espérais arriver au bout de la rue d'où je verrais la rivière Sainte-Camille qui serpentait entre les arbres avant d'aborder le long corridor qui coupait le village d'est en ouest. Je grimacerais, j'en étais certain. J'entendais presque tinter ces aiguilles qui allaient me darder l'os, m'arracher quelques contorsions, les yeux plissés, le souffle court et le front trempé de sueur… «Faut forcer la machine, *man*, quand on sent qu'elle risque de s'emballer», me répétait souvent mon frère Karl dans les jours qui ont suivi l'accident. Je m'y appliquais, m'y entêtais et finissais toujours K.-O. C'était comme si toute ma vie campait dans un os. «Tibia. Mauvaise fracture. Très mauvaise fracture.» Mais quelque chose en moi refusait de s'aplatir sans d'abord livrer un combat à finir. «Un homme qui ne rêve plus est un homme qui attend la mort», m'avait-on rabâché dans ma prime jeunesse. Et ça m'était entré dans le crâne, comme toute la panoplie de niaiseries qu'à une époque on semait dans la tête des gens sans se soucier qu'au jour de la récolte on en aurait plein les bras.

Et je me suis arrêté.

Combien de mètres franchis? Cinquante? Soixante-dix? Sûrement pas la centaine. Une distance que je traversais au pas de course il y avait seulement quelques mois. Aucune défaillance. À peine un léger essoufflement. Mon corps était une machine solide que je roulais à un train d'enfer dans des conditions pas toujours très favorables. Je grimpais dans la montagne, enjambais les souches, m'abreuvais au ruisseau avant de redescendre, les poumons en feu, bourrés de cet air moite qui planait entre les arbres.

J'ai allumé une cigarette avant de me coller le dos sur le premier mur qui s'est présenté.

Marie ressemblait terriblement à notre mère, songeais-je. Notre mère qui, bien sûr, ne nous avait jamais torturés, ne nous avait jamais abusés, jamais privés de quoi que ce soit. Bien au contraire. Mais qui nous avait imposé avec zèle sa conception d'un monde étroit, tari et sans saveur. Avec une espèce de terrorisme émotif qui nous anéantissait. Avant de mourir, elle nous avait bricolé un monde que, plus tard, nous avons dû démolir pour voir les choses avec nos propres yeux, quitte à croupir sous les remords et la culpabilité. Marie portait en elle à la fois l'inquiétude maternelle et la rage paternelle. Comme ça devait être douloureux de porter ces héritages si peu assortis! Ça venait peut-être expliquer ce boucan qu'elle avait dans la tête.

Trois

Une brèche s'était dessinée entre les nuages qui semblaient bien décidés à ne pas crever, laissant sous eux un paysage de poussières, d'arbres assoiffés et de pierres brûlantes. La Sainte-Camille avait soif. Elle d'ordinaire majestueuse devenait piteuse avec les chicots qui la bordaient et ses rives crasseuses, craquelées comme de vieilles peaux centenaires et malmenées.

« Devriez voir mes tomates, a gémi l'épicier en me refilant mon paquet de cigarettes. Si j'en ramasse assez pour faire deux sandwichs, ça sera un miracle. La planète nous réserve tout un tas de surprises ! »

J'ai tourné les talons avant qu'il me serve la litanie habituelle sur la mère Nature qui prépare une vengeance apocalyptique. J'avais Marie pour ce genre de discours.

Je filais en douce sur l'asphalte brûlant en considérant l'avenir, le mien, d'un œil sombre. J'en étais rendu à me jeter dans les bras d'une acupunctrice sous prétexte que là se trouvait, peut-être, l'amorce d'un soulagement. Je n'y croyais pas et préférais ne pas me bercer d'illusions. C'était précisément cette envie de regarder les choses en face qui m'amenait à jeter cette lumière sur ma condition qu'il m'était difficile de ne pas qualifier de lamentable. Pas question de grimer cette réalité et encore moins de m'apitoyer sur la situation. Chacun avait son lot et je me voyais mal venir y ajouter ma petite pelletée de merde.

En arrivant chez Karl, j'ai eu droit à quelques jérémiades sur le thème des égorgeurs et des égorgés. Lui, l'individualiste, je le retrouvais soudain dans la peau d'un gars qui s'inquiétait du sort du monde. «Ils veulent notre peau.» Les mains bourrées de factures, il balançait une série de chiffres entrecoupés de jurons. Froissait le papier, le dépliait avec le dos de la main pour y jeter un second regard et comprendre qu'il ne rêvait pas. À l'entendre, il se faisait traquer comme une bête sans défense.

«Ils en sont aux menaces! Vont me couper l'électricité... T'imagines? Déjà que j'ai plus de téléphone... Non, mais ils veulent m'anéantir? J'arrive à peine à payer ce que ça coûte pour me nourrir... Je suis leur otage, Marc.»

J'ai remarqué qu'il passait sous silence tout ce fric qu'il dilapidait pour sa consommation de cocaïne qui allait bon train. Voilà un autre terrain sur lequel je ne mettais plus les pieds. Pour m'y être aventuré à maintes reprises, j'en connaissais la nature et savais qu'il n'y avait pas pire labyrinthe que la tête d'un accro perclus dans le miasme de ses coutumes mal assumées.

«Tu peux m'aider? Au retour, je veux dire, tu vas pouvoir m'aider à sortir deux ou trois babioles auxquelles je tiens particulièrement?»

Il en était là: vider la place avant qu'un huissier lui tombe dessus.

«Si tu perds pas de vue que je me déplace avec une canne, c'est O.K. Mais si t'as dans l'idée de me mettre des meubles dans les pattes, oublie ça.

— Quand on pense à toutes les niaiseries qu'il faut faire juste pour vivre...

— Arrête un peu, l'ai-je coupé. Tu devrais en garder pour le trajet, ça nous paraîtra moins long.»

Il a mis sa chemise en ricanant et a attendu que je finisse de m'installer derrière le volant. De temps à autre, je le regardais brasser son paquet de factures en fronçant les sourcils pour aussitôt esquisser un sourire et je me disais que Karl serait toujours comme une énigme à résoudre et devant laquelle je baissais de plus en plus souvent les bras. Un mystère qui ne me faisait même plus dresser l'oreille. J'avais tout vu, tout entendu de mon frère. Il m'aurait annoncé qu'il rêvait d'être missionnaire dans un de ces trous du bout du monde que je n'aurais même pas haussé un sourcil.

«T'as vu le niveau de la rivière? Une vraie farce! Ils attendent quoi pour ouvrir les vannes?»

«Karl vient sûrement de parler avec Marie, me disais-je. Elle lui a sans doute bourré le crâne de ses lubies.» Rien de nouveau sous le soleil. Tout ce qu'il fallait, c'était quelques orages, quelques averses soutenues... On ne l'avait connue qu'ainsi, la rivière. Détournée. Depuis près d'un demi-siècle. Ses eaux déviées de leur liberté. Son parcours entravé, bloqué, interrompu. À même son flux on avait créé le Lac-aux-Lièvres pour ensuite le border de baraques auxquelles on ne pouvait que rêver. Pas pour nous, ça. Trop pauvres. Pas assez dignes. À peine capables d'apprécier l'élégance. Tout juste bons à jalouser.

«On n'a presque pas eu de neige cet hiver. Et puis, il pleut à peu près jamais. Normal qu'elle soit basse.

— ... font quand même chier avec leur lac.»

J'ai enfilé la bretelle de l'autoroute comme on glisse une main dans sa poche tellement la circulation était fluide. Depuis que je fréquentais moins la ville, je remarquais davantage la puanteur qui l'enrobait. Un truc poisseux avec des relents d'amandes chauffées qui flottaient.

Pour l'avoir foulée, maudite, aimée, pénétrée, habitée, je la voyais toujours comme ce ring des victoires et celui des défaites. De sang, de sperme, de sueur, de bave et de larmes, voilà comment j'imaginais la nature de ce suc suintant de son âme. Y avait qu'à regarder les filles qui s'y mouvaient, les gars qui s'y abreuvaient pour se convaincre qu'on plongeait dans l'enfer et le paradis d'un même élan.

« À ton avis, combien ça vaut un autographe de René Lévesque?

— C'était pas de Maurice Duplessis?

— Ça, c'était le mois passé, m'a-t-il précisé. Je m'en vais rencontrer un gars qui va me refiler une centaine d'autographes de René Lévesque. Au bas mot, c'est cent piastres chacun. À mon avis, au moins cent piastres… »

Je mourais d'envie de lui dire qu'un de ces jours il se ferait casser la gueule avec ses magouilles absurdes. Qu'on ne peut pas leurrer tout un chacun sans, un jour, tomber sur un type un peu plus avisé que la moyenne. Mais ça, si je ne le lui avais pas seriné au moins mille fois…

« On y est. »

Rue Louis-Hébert. Des arbres ambitieux s'y étiraient et dessinaient de larges plages d'ombre sur les trottoirs déserts. Ni enfant, ni femme, ni homme… Même pas de chat errant. Tapis dans les feuillages, il devait bien y avoir quelques oiseaux, mais ils ne piaillaient pas. La chaleur était encore plus atroce que dans les rues de Rivière-Sainte-Camille. Même à l'ombre, on crevait. Je vidais les bouteilles d'eau comme un assoiffé en plein désert. Aussitôt bues, il me semblait que je les suais le temps de le dire.

« Je te sens nerveux. »

J'aimais pas le ton qu'il utilisait. C'est sa petite gueule de mère supérieure qui m'agaçait. Celle qu'il se fabriquait quand il sentait que le vent tournait en sa faveur et que, du coup, il vous balayait comme une misérable poussière.

« J'aimerais bien te voir à ma place. »

Je m'apprêtais à vivre un truc qui me tordait les boyaux. Rien de bien risqué en comparaison des petits massacres dont la vie s'alimentait au jour le jour. Vraiment pas de quoi faire un plat, je le savais bien, mais il y a de ces faiblesses qui ne vous quittent pas, ce petit troupeau de démons qui surgit sans s'annoncer, ce carrousel d'allure spectrale qui vous fait tourner la tête...

« Sans blague, ça me donne envie de vomir.

— Merde, Marc ! Tu t'es pratiquement fait arracher une jambe sur ta moto et t'essaies de me dire que quelques malheureuses aiguilles te font chier dans ta culotte ? Oublie pas que c'est moi le fif de la famille, la petite poupée qui se dandine dans les bars. Un peu de nerf, mon vieux.

— J'essaie simplement de t'expliquer que j'ai la trouille. Ça te ferait mourir de me rassurer juste un peu ? La peur est toujours irraisonnée, mais ça ne l'empêche pas d'être réelle.

— Annie Blanchard est *ze top* en acupuncture. Annie a redonné vie à des membres morts, calmé des muscles en furie. Elle est capable des plus grands miracles. À côté d'elle, le frère André, c'est une blague. Bon, O.K., on se revoit tantôt.

— Ouais, tantôt.

— T'as l'adresse ? »

J'avais l'adresse en question.

Je l'ai regardé marcher vers le sud où il avait ses petites habitudes. Je réalisais que je n'avais jamais vraiment saisi ce gars-là. De son enfance jusqu'à l'âge adulte, Karl n'avait été qu'un inconscient parmi les inconscients qui se laissait pousser là où la vie le menait. On avait beau être frères, on restait totalement étrangers, sans pour autant être indifférents l'un à l'autre. On se foutait la paix, c'était déjà appréciable.

Vingt-quatre marches plus tard, le front perlant, je me suis paré de mon sourire du dimanche (oscillant entre l'insignifiance et la candeur) pour cette fille qui m'a ouvert la porte et qui prétendait remettre la machine en marche. Ambiance feutrée, musique sans relief et un éclairage digne d'un lupanar mal fagoté. Annie Blanchard faisait vite le tour de la question pour bien connaître la nature de la bête qu'elle s'apprêtait à transformer en pelote à épingles. Ses questions m'emmerdaient franchement. Je détestais devoir répondre et lever le voile sur ma vie, mes activités, mes douleurs.

Oui, avec cette jambe, j'avais une longueur d'avance pour prédire les jours de pluie.

Oui, je commençais tous mes matins en avalant une impressionnante quantité de pilules.

Oui, je faisais attention à mon alimentation, je veillais à ce que mon sommeil soit suffisamment réparateur.

Malheureusement, rien n'est parfait en ce monde. Je fumais coup sur coup et tenais à ce qu'une certaine quantité d'alcool me draine les veines. Je n'ambitionnais pas de crever pétant de santé. Mon temps était compté, parfaitement... Tout comme le sien malgré son sourire angélique et ses joues d'un rose éloquent.

Je souhaitais seulement qu'elle évite les questions de nature plus intime. Ces trucs qui se jouent en bas de la ceinture et à propos desquels les types normaux se pètent joyeusement les bretelles avec un sourire entendu. Valait mieux qu'elle ne m'entraîne pas sur cette pente, parce que je connaissais un long chapitre sur la solitude imposée, les bienfaits des souvenirs et du rêve.

« Oh, JésusMarieJoseph, fermez-lui le clapet avant que je lui déballe la nature du dégoût qui s'empare d'un gars qui a toujours mal quelque part, qui s'essouffle au bout de quelques pas, qui panique devant une colline, qui trouve trop bruyant un enfant qui s'amuse, qui regarde une fille comme un gros lot improbable…

Faites-le pour elle.

Faites-le pour moi.

Amen. »

Elle m'a demandé de retirer mon pantalon comme jamais une fille ne me l'avait demandé jusque-là. Sans langueur ni ces petites flammèches qui brillent dans les yeux.

« Vous ne sentirez rien. »

Ça non plus, jamais une fille ne me l'avait dit.

Déculotté, je me suis installé sur une table trop haute dans une panoplie de grimaces et, le temps de le dire, ma cuisse s'est mise à ressembler au dos d'un hérisson pris au piège. Je m'étais bien juré de ne pas la regarder opérer mais, à moitié nu avec une fille penchée au-dessus de moi, ça restait tentant de jeter un coup d'œil. Le plafond, sans aller jusqu'à s'envoler comme un cerf-volant, n'en tanguait pas moins. Du côté de mon estomac, le calme régnait. C'était peut-être tout ce qu'il me restait de solide. Je pouvais bouffer à peu près n'importe quoi et l'arroser joyeusement sans ressentir le moindre problème.

Après un moment, Annie Blanchard s'est éclipsée pour laisser le temps aux aiguilles de faire leur boulot.

« Une petite demi-heure. »

Quand j'ai rouvert les yeux, le plafond s'était calmé. Une fissure mal réparée le traversait d'est en ouest. Boursouflé comme une vilaine balafre. Je songeais à tous ces plâtriers que j'avais connus en dix ans de vie de chantier et qui, en quelques coups de truelle, m'auraient réparé la chose avec le sourire aux lèvres. «Y en a vraiment qui s'improvisent sans se soucier du résultat», me disais-je.

Au fond, je m'en balançais de ces réparations mal foutues que sans doute personne ne regardait jamais. Les gens devaient avoir autre chose à penser, une fois transpercés par ces aiguilles. Si moi je m'y attardais, c'était pour oublier cette flûte de pan qui me foutait dans les tympans une version sirupeuse de *She's leaving home* et qui désincarnait salement l'original. Je me suis mis à méditer sur cette image de l'acupunctrice penchée sur ma carcasse et je trouvais curieux cette facilité avec laquelle on se déculotte quand il est question de médecine. Alors qu'en temps normal, tout converge vers les petites séductions qui, quand ça baigne dans l'huile, nous mènent, à peu de chose près, à la même position.

Comme c'était parfaitement inutile de me retrouver avec une érection gênante, j'ai chassé ces quelques images pour faire le tour des mensonges que j'allais devoir servir à Marie. Elle misait gros sur cette perceuse d'épiderme. Sans aller jusqu'à jouer les miraculés, j'allais tout de même lui mimer celui qui entrevoit enfin ce jour sacré où il pourra lancer sa canne au bout de ses bras. Je me disais que ça lui ferait plaisir et je croyais qu'elle méritait ces petites attentions. En fait, je ne sais pas pourquoi, parce que le matin même je m'étais mordu la main pour m'empêcher de l'envoyer au diable. Encore une de ces peccadilles qu'elle avait le don d'élever au rang de principe.

Quand Annie Blanchard a ouvert la porte, la flûte de pan s'était tue depuis un moment suffisamment long pour que je flotte entre l'éveil et le sommeil. Peu à peu, elle a retiré les aiguilles avec pour chacune un petit sourire qui se voulait espiègle. Une bonne vingtaine de ces sourires se sont succédé avant qu'elle me demande de me lever, histoire de constater le résultat. Enroulé dans une serviette, je la regardais me tâter la jambe avec une attention qui m'étonnait. Elle passait du mollet à la cuisse pour redescendre et s'attarder au genou. Si j'avais été le genre de gars qui érige la mauvaise foi en culte, je lui aurais dit qu'elle en faisait trop et que je n'étais pas de ces dupes qu'on bourre aussi aisément. Même avec la souplesse qu'elle y mettait, y avait quelque chose qui clochait. J'étais tombé dans le sac à miracles de Karl. Piégé par son enthousiasme débridé qui pouvait coûter cher si on se laissait porter par le délire.

«Alors?» se décida-t-elle.

Cette question-là, je ne pouvais pas y répondre aussi simplement. Elle était jolie, attentive et d'une infinie gentillesse. Une petite fleur qu'on évite de piétiner. Mais avec son sourire figé, couronné par ses sourcils en accents circonflexes, je lui devais la vérité.

«Honnêtement? Rien. Je ne vois aucun changement.

— Ah, mais va falloir quatre ou cinq séances pour ressentir un progrès.»

Il y avait une chose que je saisissais mal. S'il fallait cinq séances pour que je retombe sur mes pattes, pourquoi est-ce que je ne ressentais pas un cinquième du soulagement promis? Pourquoi le brasier qui chauffait ma cuisse depuis des mois ne s'amenuisait-il pas? Et cet os qui se tordait comme un vieux chiffon, pourquoi il ne se détendait pas? Juste un peu… Oh, je n'espérais pas le miracle annoncé par mon frère, mais si j'en avais perçu au moins l'ombre, je me serais senti fin prêt pour la suite des opérations. C'était trop demander?

Enfin, bon, j'allais pas percer les mystères de cette vieille discipline, mais quand même, j'aurais bien aimé ressentir ne serait-ce qu'une infime amélioration, un signe, même ténu.

«Donc, mercredi de la semaine prochaine?

— Ouais», je lui ai dit en me reculottant.

Avant d'aller chercher Karl, j'ai filé à ce petit resto où, quand l'occasion se présentait, je m'envoyais des falafels arrosés d'un Brio. Le nez plongé dans le journal, j'ai épié sans gêne la conversation des deux types de la table voisine. Y en avait un pour qui le moteur de sa Mustang n'était rien de moins qu'une «pure merveille». L'autre en bavait des océans, mais gardait la dragée haute et en rajoutait une couche en précisant que quelques trucs «assez extraordinaires, mon vieux» se trouvaient sous le capot.

S'il me fallait une preuve de plus que le monde est peuplé d'imbéciles, je l'avais sous les yeux.

Mécanique pour mécanique, la mienne commençait à m'inquiéter un peu plus chaque fois que je la remettais entre les pattes d'un prétendu spécialiste. Même Annie Blanchard avec ses aiguilles miraculeuses venait de lamentablement échouer. Sa médecine ne répondait pas à l'impatience qui m'étourdissait et rendait les jours interminables. Fallait voir les choses en face et cesser de s'illusionner: j'en avais pour jusqu'à mon dernier souffle avec cette jambe. Pas une minute de répit. Rien. Je pouvais, bien entendu, considérer les choses sous une autre lumière. J'aurais pu la perdre, cette jambe… Et pourquoi pas les deux? Et une partie du visage! Sortir de là aveugle… Me retrouver dans la confrérie des grands brûlés, aveugle et cul-de-jatte! Toute cette enfilade de catastrophes n'allégeait pas la situation. Cette idée du verre à moitié vide ou à moitié plein ne signifiait strictement rien pour moi. Disons que, de mon côté, le verre n'a jamais menacé de déborder. Mais il fallait tenir bon. « Tenir bon. » C'était ce genre de choses que je me répétais. Ce genre de coups de pied au cul que je me prodiguais pour avancer sans geindre et poursuivre la petite gymnastique mentale qui me permettrait de garder la tête haute.

Avant de partir, j'en ai profité pour passer quelques coups de fil à d'anciens amis. Des amis anciens… Des gars anciennement amis, pour être précis. Richard, toujours sur la touche. Pierre, nouvellement divorcé. Luc, parti pour la gloire. Maryse qui se croyait encore enceinte. Jacques qui était absent.

Je me suis finalement résigné à stationner le pick-up en double devant le Diable Heureux parce qu'autrement c'était une longue marche rue Sainte-Catherine. Un calvaire. Je n'avais mis les pieds qu'une seule fois dans ce bar et c'était pour rescaper Karl qui voulait en découdre avec un clone du flic de Village People qui se promettait de le découper en petits morceaux. Toujours, chez lui, la cocaïne et l'alcool déclenchaient une incompréhensible chimie qui lui faisait croire qu'il était un colosse invincible. Dans les faits, un enfant pouvait l'envoyer valser dans le décor sans le moindre effort. Combien d'heures avais-je perdues à lui expliquer la nécessité de choisir son adversaire et la technique à utiliser pour s'en sortir avec un minimum de perte ?

Personne à la terrasse malgré une journée du tonnerre. J'avais beau klaxonner, nulle part je ne voyais Karl que j'imaginais en train d'emberlificoter quelques naïfs.

Croquant dans deux Ibuprofène, je me suis décidé à sortir de mon bolide sous le regard furieux du bonhomme de la voiture de derrière qui devait me souhaiter d'aller griller en enfer.

À l'intérieur, dans une lumière multicolore, ça se bousculait un peu.

Un attroupement au fond du bar.

Karl?

J'ai foncé du mieux que j'ai pu, j'ai bousculé ceux qui me bloquaient le chemin et je me suis même senti prêt, le cas échéant, à utiliser ma canne. Qui donc se formaliserait de voir un pauvre type se frayer un chemin même avec rudesse?

Souvent, je me rappelais cette époque où je savais relever la tête devant le défi. Je ne recherchais pas la bagarre, mais jamais je ne reculais quand elle pointait son nez. Je me tenais prêt, comme si le danger restait présent, tout près, attendant le bon moment pour claquer les mâchoires de son étau et me broyer tout cru. Je savais me défendre. C'était la belle époque.

À un moment, j'ai demandé à un jeune gars ce qui se passait, mais j'ai vite compris qu'il n'était pas en état d'aider qui que ce soit: la bouche ouverte et le regard fou, bourré à l'os et à peine capable de garder l'œil ouvert. Et on était en plein après-midi. Rien à attendre de ce côté-là. C'est tout juste si on me remarquait, dans ce bordel mouvant comme l'onde d'une mer chargée. Ça ne sentait pas la bagarre. Il y manquait les cris, les injures, tout ce brouhaha qui caractérise les rixes.

«C'est possible de savoir ce qui se passe? Hein, c'est possible?

— Sais pas trop, je viens d'arriver. Je...»

C'est sur moi-même que je devais compter. Là comme ailleurs, les autres avançaient sur leurs routes respectives en s'illusionnant sur d'éventuelles croisées de chemins.

«Faut appeler une ambulance!»

Ç'a été le coup d'envoi. Mes épaules se gonflaient, mes coudes se durcissaient, poussant ici et là des gars qui allaient choir dans des chaises quand ce n'était pas sur des tables chargées de bières. J'ai fait sauter le dernier obstacle en glissant ma canne entre deux gorilles pour faire levier et dégager le passage.

La réponse à toutes les questions qui me roulaient dans la tête s'est retrouvée à mes pieds. Sans ambiguïté. Dans mon dos, l'excitation s'est transformée en un bourdonnement sourd que je percevais à peine. Les poings sur la poitrine, la gueule ouverte, il m'a regardé droit dans les yeux pour que je saisisse bien de quoi il en retournait. Karl était blême comme une lune d'hiver.

Alors que je l'avais imaginé en train de faire le pitre, mon frère était tout bonnement en train de crever.

Quatre

Même pas besoin de le chercher.

En entrant, à gauche.

Au fond, dans le coin le plus mal famé du Palace, selon certains.

L'oasis des défoncés, vue sous une autre lumière.

Sur une chaise où il y avait de gravées trois lettres, VIC, attestant que, même en son absence, aucun cul n'était autorisé à s'y poser. Sa vieille casquette des Expos vissée sur le crâne, son regard creux et ses doigts noueux, il saluerait l'arrivée de son fils en levant la main puis en ouvrant les bras.

J'avais l'habitude. Toujours le même rituel. Un film avec toujours les mêmes répliques et sans réelle histoire.

Il fallait choisir ses heures quand on avait envie de faire un brin de causette avec le paternel. Entre huit heures et dix heures, il s'affairait à combattre la gueule de bois qu'il s'était attentivement taillée la veille. Après trois ou quatre cafés, il reprenait une forme à peu près humaine capable de soutenir une conversation quand il n'avait pas le nez plongé dans les journaux du matin à chasser les mauvaises nouvelles sur lesquelles il allait saupoudrer quelques pompeuses analyses toutes fondées sur du vide.

De ça aussi, j'avais l'habitude.

Victor avait été marin, boxeur, plombier, mécano, jardinier, cuisinier, routier, barman, conducteur de taxi, journalier, trappeur, un peu père, très peu époux. Depuis déjà un moment, il n'était que soûl.

Quand j'ai quitté l'hôpital, Marie s'était calmée. Juste avant, elle tremblait de tous ses membres. J'en arrivais à craindre qu'à son tour elle me claque dans les pattes. Généralement bien enracinée, capable d'affronter les pires séismes, de gueuler plus fort que le tonnerre, de subir les injustices les plus dégradantes, Marie se retrouvait en pleine déconfiture devant son petit frère entubé. On aurait dit qu'elle portait un masque. Un teint cireux. Des yeux affadis. J'aurais aimé qu'elle pleure. Qu'elle éclate franchement. Je me serais alors senti d'une quelconque utilité. Elle se contentait de blêmir, de tourner en rond et de râler.

« Ça va, Marie. Ça va… »

Je lui répétais ces mots, somme toute inutiles, pour qu'enfin elle ne s'ajoute pas aux problèmes qui étaient déjà suffisants. Marie condamnait l'interdiction de fumer dans l'hôpital, jugeait que la climatisation défaillait et que « ces chaises… Non mais, on est vraiment obligés de supporter autant d'inconfort ? »

« Je te sens à bout de nerfs, Marie.

— On le serait à moins. Il aurait pu y passer ! Tu te rends compte ?

— Ben justement, c'est pas le cas. Si tu veux bien, on va se calmer.

— Oui, mais, Marc, j'espère que tu réalises que c'est le début d'une série de problèmes. »

Une fois revenu de la surprise, on ne pouvait sincèrement pas tomber des nues en apprenant que Karl trimballait un cœur de vieillard. Marie pouvait bien ne voir en lui qu'un petit frère espiègle, il n'en reste pas moins qu'on se retrouvait devant un type qui avait drôlement brûlé la chandelle par les deux bouts. Pour avoir, à une autre époque, goûté à la vie, je lisais dans les gestes de Karl, et ce que j'y voyais, c'était un sacré bordel. J'étais le seul à savoir qu'à une époque il s'était même hasardé à jouer avec les seringues. Rien à voir avec la retenue ou la modération. La défonce intégrale, voilà à quoi pouvait se résumer notre frère.

« T'es pas assez naïve, Marie, pour t'imaginer qu'il était devant toi comme dans un confessionnal…

— … je te dis qu'il s'est repris en main.

— Pfff !

— T'as pas le droit de te moquer. Karl est jeune. »

Comment ne pas s'ahurir devant cette pauvre Marie qui s'entêtait à garder les yeux fermés sur une succession de frasques dont nous avions le résultat sous les yeux.

« On a tous été jeunes, Marie, lui ai-je fait remarquer. Sans exception, on est tous passés par là. Ce qui est vieux a forcément été jeune. Y en a qui se relèvent à temps, d'autres pas.

— Tu me prends pour une imbécile ? Tu penses que je te vois pas venir, Marc ? Un tank dans un poulailler serait plus discret. Je t'ai tricoté, mon p'tit bonhomme. Je sais ce qui te trotte dans la tête. Jamais tu vas mettre Karl sur un pied d'égalité avec notre père. Que je sache, il n'a jamais abandonné d'enfant. On peut compter sur lui quand on en a besoin. Désolé, mon beau, mais tu vois, il y a une différence que tu sembles oublier. Une immense différence ! Karl, lui, c'est une victime. Je te laisse deviner qui est le bourreau. »

C'était donc inutile d'aller plus avant. Inutile de prétendre que Victor devait être mis au courant de la situation. Pour elle, la question était réglée et il n'y avait rien à ajouter. Deux poids, deux mesures, telle était la loi pour juger Victor.

« Tout est sous contrôle », avait annoncé le doc. Marie tenait mordicus à rester jusqu'à ce que Karl ouvre les yeux. Ça pouvait représenter un sacré paquet d'heures, mais elle s'était foutue cette idée dans le crâne et même une armée se serait cassé les dents à tenter de la dissuader.

« Et Martin ? »

Il était avec Francis qui progressait rapidement dans l'art de changer les couches.

« Tu peux y aller, Marc. Je m'occupe du reste.

— T'en as pas jusque-là, de t'occuper du reste ?

— Tu peux y aller, Marc. »

Avant de partir, j'ai vu qu'elle avait repris quelques couleurs.

Sur le chemin du retour, je songeais à toutes ces fois où j'avais souhaité avec rage la mort de Karl. Même poupon, j'espérais qu'on le retrouve, au matin, étouffé dans son vomi. Son arrivée était venue tout bousculer. Marie ne parlait que de lui, qu'avec lui. Impossible d'être avec elle sans que ce bébé se retrouve dans ses bras. J'imaginais qu'on le donne en adoption dans un pays lointain. Je lui toussais en plein visage, lui tendais quelques pièges desquels j'espérais qu'il ne se relèverait pas.

Je voulais Marie pour moi tout seul et n'arrivais pas à considérer injuste ce désir.

« Mon fils ! s'est exclamé Victor en m'apercevant sur le pas de la porte. La chair de ma chair. »

Je me suis avancé, embarrassé par cette timidité qu'il m'arrivait de ressentir quand j'arrivais devant mon père. Le fait est que son monde ne pouvait pas être le mien. Sans arriver à nommer ce malaise, je savais que je devenais ce cheveu sur la soupe que tout un chacun remarquait en silence. Les discussions s'enrobaient de cette abstraction qui nous plongeait dans des échanges burlesques. Sans queue ni tête.

J'éprouvais toujours le sentiment d'être le seul à me rendre au Palace. Il n'y avait là que des habitués dont la bande qui gravitait autour de Vic. Rarement des nouvelles têtes. Toujours les mêmes piliers de bars, harnachés à leur bouteille à ruminer de vieilles idées ou à dresser de sombres bilans à longueur de vie. Je me sentais comme ces touristes qui viennent se rincer l'œil devant les déboires d'autrui. Je baignais dans l'inconfort de celui qui ne fera jamais partie de ce monde pour lequel il ne pourra jamais rien.

Si moi je me rendais au Palace, eux ils y échouaient comme de vieux rafiots repoussés par la mer.

«Ça, c'est une belle surprise! Viens, prends cette chaise-là. Viens.»

Déjà que j'ignorais par quel bout commencer, avec cet auditoire à demi conscient, ça devenait impossible.

«Tu travailles dans le coin?

— Je travaille pas, tu le sais, ai-je précisé en désignant ma canne.

— Ça me rentre pas dans la tête.»

Fin de la conversation.

Ce qui était bien avec mon père, c'est que ça ne s'éternisait jamais et qu'il expédiait d'un trait ce qui lui gonflait le cœur. Il riait, gueulait, chuchotait, rageait aussi rapidement qu'un éclair traverse le ciel. Le passé s'évaporait, le présent se dissolvait et les petites miettes de futur papillonnaient au-dessus du vide. Voilà peut-être ce qui, chez Victor, resterait la particularité qu'il ne léguerait à personne, cette faculté de rester en équilibre sur un fil ténu au-dessus de l'abîme sans se départir de cette espèce de sourire en coin dont il s'ornait la gueule. Exactement comme Marie dans ses moments sombres et sans issue.

Immanquablement s'agglutinaient autour de lui des restes de peintres, des ombres d'écrivains, des poussières de poètes qu'il accueillait en levant sa bière avec un sourire gris. Tous affichaient des gueules de Bukowski d'opérette qu'ils alimentaient de quelques sarcasmes souvent dénués de sens. Il y avait une femme, aussi, des fois. Une sorte de muse lézardée qui devait avoir été belle il y avait longtemps. La courbe de son nez me le laissait croire. Son regard aussi, peut-être. J'imaginais qu'elle pouvait aider Victor et ses acolytes à retrouver un brin de civisme où étaient exclus les pets, les rots et tous ces mots de bonshommes sur le déclin qui résonnaient jusque dans leurs couilles asséchées.

Je n'ai eu qu'à lever le bras, à pointer l'index et à opérer une savante torsion du poignet pour qu'une flopée de bouteilles atterrisse sur la table des copains de Victor qui les ont reçues avec un enthousiasme débridé. Je reconnaissais les têtes qui opinaient, sauf celle du nouveau soûlon qui devait avoir gagné ses galons tout récemment.

« Nick, c'est son nom. »

Deux profondes rides lui cerclaient le menton et lui dessinaient une gueule de pantin de ventriloque. Pour le reste, on ne pouvait pas en douter, il s'apparentait parfaitement à l'équipée. Moins délabré que ses comparses, il gardait au fond des yeux une malice endormie. Il n'avait de cesse de me remercier en levant son verre, en me souriant avec ses sourcils qu'il montait bien haut. J'avais beau lui faire comprendre que ça allait, que tout était parfait, il ne semblait pas saisir que j'en avais jusque-là de ses remerciements.

« Ça va. Ça va, m'sieur… Ça me fait plaisir. Vraiment, je vous jure… »

Le malentendu s'est dissipé au moment où les haut-parleurs ont laissé filer les premières notes de *Down Town* (vif succès de Petula Clark). L'index sur les lèvres, mon père a commandé le silence avant de souffler un baiser du côté de la barmaid qui s'en foutait. J'ai été épaté de la retenue presque monastique avec laquelle tout un chacun a regardé Victor faire le singe avec une guitare invisible dans les pattes.

« Ah, Pitou la Craque ! » s'est permis la marionnette de ventriloque.

Les laissant à leur lubie, je me suis dirigé vers le bar pour y rejoindre Luce, la proprio. Une brave femme que j'aurais aimé connaître davantage. Elle faisait partie de ces gens chez qui j'aimais imaginer quelques secrets enfouis dans un passé loin de Rivière-Sainte-Camille et qui entachaient sa vie. Mais toujours nos discussions s'accrochaient les pieds sur le cas de mon père. Luce l'aimait bien et je croyais qu'il le lui rendait. Il m'était même arrivé d'imaginer qu'entre eux il se passait autre chose que l'échange habituel entre le client et le vendeur. C'était il y a des années. C'était avant qu'il redouble d'efforts pour s'enfoncer un peu plus.

« Alors ?

— Rien.

— Et ta jambe ?

— Ça peut aller. »

Je faisais celui qui écoute, qui s'intéresse à ce qu'elle dit sans pourtant aller jusqu'à la questionner. J'étais un as dans l'art de m'abstraire sans trop qu'on le remarque. Ça tenait à peu de chose, quelques regards, quelques *han han*, de vagues gestes de la main. Bref, les gens n'y voyaient que du feu. Faut dire que depuis quelque temps, c'était pas les occasions de parfaire la technique qui manquaient.

Souvent, elle me parlait de son projet (son rêve, comme elle disait) de vendre son bar et de s'acheter une maison toute neuve dans un développement récent à la sortie de la ville. Fini les murs crevassés, les parquets grinçants, les fenêtres qui givrent dès les premiers jours d'hiver. Dans son rêve, il y avait un vaste jardin, une piscine creusée et un garage double. Mais un vent de réalisme avait fini par les balayer pour ne garder que l'essentiel. La phase 1 du projet restait encore la plus difficile à réaliser. Rêveuse mais pas folle, Luce savait bien que, dans l'état actuel, Le Palace ne valait pas cinq sous et qu'il fallait plus qu'une couche de peinture pour le redorer. Cette éventuelle clientèle qu'elle voulait attirer n'allait pas se contenter d'un fardage de façade ou d'une dizaine de tables sur une terrasse. Et la racine du mal se trouvait ailleurs. Fallait regarder mon père et sa tribu pour s'en convaincre. S'il y a des lieux bénis, d'autres sont maudits, marqués au fer. Une terre brûlée incapable d'accueillir la moindre illusion.

Je ne me sentais pas le courage de lui faucher ses espoirs. À son âge, me disais-je, on reconnaît sans mal la complexité de ce monde et il faut une grande force pour s'y aménager un rêve.

Cette fois-là, elle n'y a pas fait allusion et je me suis demandé si le temps n'avait pas anéanti sa volonté de conjurer le sort. Ça se voyait, des gens qui s'accrochaient à un petit cordon pour respirer autre chose que la poisse et qui, sans raison apparente, lâchaient prise et venaient grossir les rangs de ceux qui n'espéraient plus rien.

«Karl vient de se payer un infarctus», je lui ai lancé sans plus de précaution.

Elle a failli avaler sa langue.

«Pour le moment, ça va. Selon le médecin, il s'en tire plutôt bien dans les circonstances. À mon avis, c'est la suite qui est inquiétante.»

Luce a roulé les yeux, touché son front, empoigné son menton et dodeliné du coco avant que je la ramène sur terre.

«Bon ben, on fait les comptes?

— Écoute, Marc, y a pas d'urgence, mon grand. Ça peut attendre.

— Non, c'est maintenant.

— C'est quand même un peu gênant pour moi tout ça.

— Laisse tomber, on a déjà eu cette conversation et on va pas la reprendre. Pour le moment je peux et quand ça ne sera plus le cas, on avisera.»

Luce a expiré bruyamment avant de plonger les mains sous le bar pour en sortir un cahier ouvert sur une page couronnée par le nom de mon père. En dessous, une longue colonne de chiffres stoppant sa chute sur une somme qui me rentrait dans le crâne comme un coup de gong. J'ai médité un moment sur le montant et je me suis dit qu'un de ces jours faudrait bien que je me questionne sur les raisons qui me poussaient à éponger ainsi les cuites successives de Victor. Sans être dans le besoin, je voyais aisément deux ou trois endroits où ce fric aurait sa place. Ne serait-ce que dans une télé où l'écran ne serait pas envahi par une neige pétillante et éternelle.

«S'il le savait... Je veux dire que s'il apprenait que ce qu'il me donne une fois par mois ne représente qu'une partie insignifiante de ce qu'il boit et que c'est toi qui payes le reste...

— Laisse tomber, Luce.

— ... ben au moins il saurait qu'il a un bon fils.»

Inévitablement, elle établissait des comparaisons avec son propre rejeton de qui il n'y avait rien de bon à espérer. Bref, le discours d'une barmaid usée, toujours à deux doigts du désespoir. Gentille mais absolument dépourvue pour affronter les temps durs. Tout ça me fatiguait. Ses plaintes répétitives balayaient la réalité des êtres en proie aux petits délires ordinaires qui, pensais-je, les suivent jusqu'à leur dernier souffle.

« Ton fils est un lâche, Luce. Je m'excuse de te le dire aussi sec mais… Moi j'ai mon père à supporter, toi c'est ton fils. Ça doit être ça, gagner son ciel, comme on dit. »

Le chèque à peine déposé sur le comptoir, j'ai aperçu du coin de l'œil l'imposante silhouette de Victor qui planait jusqu'aux chiottes. Des épaules larges comme ça, à peine voûtées et encore capables de supporter une bonne partie du monde.

« À mesure que vos fils grandissent, vous rapetissez… », a écrit John Fante.

Avec le bonhomme, valait mieux balancer ce genre de phrases aux poubelles.

J'ai décoché un sourire à Luce.

« On peut savoir ce qui te fait rire ?

— Les écrivains. »

Qu'est-ce qui m'attendait de l'autre côté de cette porte ? Que pouvais-je espérer de ce court moment d'intimité entre un père et son fils ? Avec Victor, tout restait possible. Enfin, presque tout. Fallait pas perdre de vue qu'il était passé seize heures et que les brumes s'étaient déjà levées, que les mots s'émoussaient et qu'il était pratiquement interdit de se lancer dans de longues discussions.

Côte à côte, plantés devant les urinoirs où nous y allions de nos jets respectifs, je me suis dit que ce moment-là en valait bien un autre. Si j'avais pu choisir, j'aurais préféré nous voir assis devant un repas à siroter un verre de vin ou encore bien installés sur un banc de parc à regarder le vent jouer dans les feuilles. Mais il y a des choses qui chassent le décor, le repoussent dans un étourdissant zoom in pour s'en tenir à l'essentiel, et c'est donc enveloppé d'une odeur d'urine et de boules à mites que je me suis raclé la gorge en cherchant par quel bout attraper ce morceau de braise qui me brûlait les lèvres.

«Ouais, finit par dire Victor comme s'il avait deviné ce qui me trottait dans le ciboulot. Ouais… Suis ben content que tu sois là. J'aime ça quand tu me fais ces petites visites. Ben content. Tu peux me croire, je dis à tout le monde que mon fils est un homme bien.

— Parlant de fils, risquai-je, Karl est à l'hôpital. Malaise cardiaque.»

Je restais soudé à mon urinoir en espérant que je ne venais pas de dégoupiller une grenade qui allait tout saccager. L'imprévisibilité du paternel m'amenait à croire que la suite pouvait prendre les chemins les plus cahoteux.

«Moche, il a chuchoté en refoulant les pans de sa chemise dans son pantalon.

— Il aurait pu y passer…

— Vraiment moche.

— C'est tout?

— Comment ça, *tout*? C'est quoi, ce *tout*? Tu t'attendais à quoi? À ce que je m'écroule?»

J'étais pas tout à fait idiot. Je le connaissais suffisamment pour savoir qu'il n'allait pas s'effondrer, geindre et se vider de ses larmes. Je ne l'avais pas imaginé se jeter à genoux et demander au Seigneur d'épargner la chair de sa chair.

Reprenant son souffle, il a senti le besoin de mettre quelques points sur les *i*.

«Faut pas demander la lune, Marc. Tu t'attendais pas à ce que je me mette à pleurer? J'ai pas vu ton frère depuis quatre ans… Je dis quatre, mais ça peut très bien être cinq ou même six. Trop couillon, en plus, pour venir me confronter, me dire précisément ce qu'il a sur le cœur. Je l'imagine d'ici affirmer que j'accepte pas son homosexualité… Rien à foutre, qu'il soit pédé. C'est son choix. C'est pas contre son cul ou ce qu'il en fait que j'en ai mais contre son ingratitude. Voilà ! Ton frère Karl est un ingrat. Et ça vaut aussi pour ta sœur. J'ai jamais vu son fils à celle-là ! Tu trouves ça normal ? Sur ce, tu m'excuseras, mes amis m'attendent.

— On peut quand même prendre cinq minutes pour en discuter.

— De quoi tu veux qu'on discute ? Il me semble que tout est clair depuis longtemps. »

Vic ne m'aidait pas. Vraiment pas. Je lui fournissais pourtant l'occasion de se montrer conciliant.

« Écoute bien, Marc. Il est hors de question que ce malaise cardiaque vienne changer quoi que ce soit. Ton frère attend que je crève pour venir pisser sur ma tombe. Tu penses que je le sais pas ?

— Faut pas exagérer…

— Ta sœur, elle, passe son temps à me cracher dans le dos. Ça aussi je le sais. »

Je ne savais pas ce qui m'avait poussé jusque-là, dans ces chiottes puantes, à espérer Dieu sait quoi de ce bon-homme. D'où pouvaient bien me venir ces idées loufoques d'une famille à rassembler ? Alors que personne ne demandait rien, que chaque camp se balançait de l'autre, je me trouvais là, comme un pauvre type à tenter de recoller des morceaux incompatibles.

« Je veux plus en entendre parler, Marc. Plus jamais. J'ai un seul fils. C'est toi ma seule famille et je veux pas qu'on se chamaille pour ces deux accidents de parcours. »

Il affichait un aplomb de tous les diables. Une telle assurance dans le regard qu'elle faisait presque envie. Il existait peu d'hommes avec une rage comme celle-là. Une audace démesurée et affichée avec noblesse. Ça le rendait presque majestueux, presque grand…

Beau comme un chef de meute.

Cinq

« T'as une nouvelle chemise ?

— Pas vraiment nouvelle.

— Je l'aime bien. »

Depuis tout près d'une heure, installé sur le fauteuil où s'éteignaient les derniers rayons de soleil, j'expliquais à Marie le sens de ma courte visite au Palace. La tâche était ardue. Insurmontable. Je n'avais que mes mots auxquels m'accrocher. Mes propres mots et les longs silences qui s'ensuivaient.

Il n'y avait jamais de musique chez Marie. Comme une sourde, elle ignorait tout des plaisirs que peuvent procurer les grands comme les petits airs. Mille fois j'avais forcé le jeu pour qu'elle accepte de me suivre à un concert. De Springsteen à Haydn. On s'était même tapé *Rusalka* de Dvořák dans une assommante mise en scène. C'est dire à quel point je ne lésinais pas sur l'effort. Je lui refilais des disques que je trouvais dans des bazars pour presque rien et je garde en mémoire cette moue qu'elle m'avait servie devant les œuvres complètes de Beethoven.

À une époque, elle frayait avec quelques musiciens d'un orchestre du coin et je croyais que son indifférence venait de là. Je soupçonnais quelques amourettes écorchées mais, à mes yeux, ce n'était pas une raison pour snober la musique.

Je m'étais préparé dans l'après-midi. Je ne voulais pas arriver là les mains vides. Je savais que la moindre hésitation signifiait l'échec. J'avais imaginé différentes approches. Volontaire. Doucereux. Souriant. Dégagé. Désintéressé. Indifférent.

«Bon, Marie, j'ai fait ce que je croyais nécessaire de faire. Victor sait pour Karl. Je sais que t'étais pas d'accord mais, à mon avis, c'était inévitable.»

Comment aurait-elle reçu cette façon de l'aborder? J'imaginais déjà son haussement d'épaules, l'air de dire: si t'as du temps à perdre...

Je me serais foutu les poings dans les poches avant de retraiter devant cette forteresse inexpugnable qu'elle savait si bien ériger. Et dans un temps record, en plus.

«Écoute, Marie, t'as beau le détester, lui trouver tous les défauts de la terre, cracher sur ce qu'il est, j'ai pensé que Victor devait être au courant de ce qui est arrivé à Karl. On dira ce qu'on voudra, c'est tout de même son fils.»

C'était pas très habile. «Après tout, c'est son fils» relevait de la pure provocation. Je lui fournissais ainsi toute une artillerie. *Son fils*, ces deux mots, côte à côte, à eux seuls, revenaient à lui balancer une paire de gifles.

«Avant de lever le ton, avant de te lancer dans tes recommandations, de tout balayer du revers de la main, de juger trop rapidement de ce qui me pousse à garder le contact avec notre père, je veux t'expliquer. Et j'aimerais bien que, pour une fois, tu me laisses aller au bout de mes idées...»

Ça, c'était perdu d'avance. Cette façon d'amorcer, de presque lui quémander un peu d'attention me refoulait dans le clan des couillons. Elle sentirait peut-être le malaise qui m'habitait… Serait-elle prise de compassion pour ce frère qui tentait par tous les moyens de recoller quelques morceaux ? C'était vraiment miser gros pour ne rapporter que de pauvres miettes.

Quand j'étais arrivé chez elle, j'avais décidé d'improviser. D'y aller en fonction de ce qui traînerait dans l'air du temps. Mais c'était sans compter sur ce satané hasard qui vient souvent tout bousiller.

«T'es allé voir notre père ?» m'avait-elle lancé, sitôt arrivée.

Francis m'avait aperçu au moment où je franchissais la porte du Palace. On est donc entrés dans le vif du sujet. C'est tout juste si elle m'écoutait. Allant d'une tâche à l'autre, elle s'arrêtait quelques instants pour me lancer un petit sourire gorgé de mépris, puis elle retournait à son fils Martin.

«Écoute, je dis pas qu'il a éclaté en sanglots, mais il était secoué. Je l'ai vraiment senti ému… C'est quand même pas un animal !

— J'ai jamais dit qu'il était un animal. Je dis que c'est un homme qui vaut moins qu'un animal.

— Si tu veux mon avis, tu y vas un peu fort.

— Si ce que je pense te dérange, ben vaut mieux pas demander.»

Elle est redevenue muette. Sentant qu'elle m'avait déstabilisé, elle retraitait le plus simplement du monde.

Marie pouvait avoir une sale gueule si elle jugeait que c'était la seule attitude potable dans les circonstances. Un bloc de ciment d'où rien ne sortait ni n'entrait. Je l'avais vue tant et tant se renfrogner, à peine reconnaissable, presque abattue pour, sans prévenir, bondir et mettre son vis-à-vis en morceaux. Fallait voir s'effacer les sourires… C'était une rusée, la Marie. Comme Ali avec son fameux *Rope-a-Dope*, on pouvait la croire à ça de s'écrouler et puis vlan! y avait plus qu'un carrousel d'étoiles qui vous tournait dans la tête.

Elle s'amusait avec Martin, me laissant patauger dans la poisse sans me tendre la moindre perche à laquelle j'aurais pu m'accrocher pour reprendre mon souffle.

«Viens, mon ange», dit-elle en tendant les bras vers son rejeton.

Une odeur de merde s'échappait de sa couche et ça ne semblait pas le gêner le moins du monde. «Areuuuuu», gazouillait-il, sourire aux lèvres, pendant que sa mère lui torchait le cul.

J'ai sauté sur l'occasion pour aller fumer sur le petit balcon. Toute trace de soleil était disparue, mais ça ne changeait rien à cette chaleur qui m'enveloppait comme une masse molle et sans défense. J'ai secoué mon t-shirt pour que s'y glisse un peu d'air en considérant que Rivière-Sainte-Camille baignait dans un calme presque surréaliste. C'était à croire qu'aucune bagnole n'y circulait, qu'aucun badaud ne foulait les trottoirs, qu'aucune vie n'osait s'exprimer de peur de se noyer dans l'étouffante humidité. De ce minuscule balcon, on ne voyait rien de la ville ni de la rivière. Il n'y avait que ce mur de la maison voisine. Solidement ancré avec ses briques parfaitement alignées, cimentées, bafouant tout espoir de le voir un jour s'effondrer. On pouvait se retrouver n'importe où sur la planète avec cet écran sur lequel se cognait l'écho de la vie.

De la porte entrouverte, j'entendais Martin qui hurlait à s'en cracher les poumons. C'était à croire qu'il ne savait faire que ça.

Marie en faisait trop, voilà ce qui me passait par l'esprit. En plus du resto, de son fils, de son roman et du Comité de défense, elle se mettait Karl sur le dos comme si ce cœur déboussolé était le sien. «Elle n'y arrivera pas, je me disais. Elle va se casser la gueule sur tous les plans.» Cette manie de tout prendre sur elle sans avoir de recul, de plonger dans le premier emmerdement venu, c'était peut-être pour cette raison qu'elle était une mauvaise romancière. Enfin, mauvaise... Le fait qu'elle sentait l'obligation de noyer sa plume dans l'eau de vaisselle d'un *delicatessen* me le laissait croire. C'était comme si on venait me raconter que Camus, celui de *La peste*, de *L'étranger*, ce Camus fabuleux et géant, avait fait dans la plomberie pour joindre les deux bouts. Nancy Huston avait-elle écrit *Les variations Goldberg* les deux mains chargées du spécial du jour?

Qui donc irait croire une connerie pareille? Comment Marie pouvait-elle espérer s'élever pour la peine si elle se laissait distraire par la moindre chose?

Et ça, c'était pour ce que j'en savais... C'était sans compter ce truc qu'elle gardait pour elle. Ce secret qu'elle camouflait et que je me jurais bien de découvrir. Non, mais, pour qui elle se prenait pour me cacher des choses? À moi! Elle qui en savait sur mon compte plus que moi-même j'en soupçonnais... Elle qui m'avait si bien enfoncé dans le crâne que nous n'étions qu'un. Elle qui m'avait répété que «mentir à l'autre, c'est se mentir à soi-même»...

Je voyais par ses yeux. Elle respirait par mes poumons... Quand j'avais mal, c'était elle qui saignait. Quand elle avait peur, ce sont mes mains qui étaient prises de secousses incontrôlables.

J'aurais bien aimé lui en toucher un mot mais, avec la tête qu'elle avait, je risquais de me retrouver au tapis avant la fin de la première phrase.

J'ai envoyé valser mon mégot pour revenir vers Marie berçant son fils qui avait définitivement les yeux de son grand-père. Le même gris avec cette auréole jaune autour de la pupille. On a beau faire… On a beau haïr, renier, se crever le cul à nier l'évidence, balancer par-dessus bord sa propre histoire, cracher sur ses propres racines, maudire la source, n'en reste pas moins que ce sang, celui de ce soûlon de Victor, coulait dans les veines de ce poupon rose et innocent comme la levée du jour.

«Va falloir penser à une solution pour Karl, m'a-t-elle dit au moment où je ne m'y attendais pas.

— C'est-à-dire?

— Il peut plus retourner à son appartement.

— Laisse-moi deviner, l'ai-je arrêtée. Tu vas me demander de prendre Karl avec moi, dans ma maison. Tu t'attends à ce que je joue à la nounou avec notre frère. Mieux, que je devienne son cuisinier.

— D'abord, je trouve odieux de devoir te *demander* ce qui me semble une évidence et, il me semble, je ne devrais pas *m'attendre* à ce qui, normalement, devrait te venir spontanément.

— C'est vraiment nécessaire d'être aussi chiante?»

Je me frottais la nuque en tentant de replacer les choses dans de justes proportions. Plus de peur que de mal, avait annoncé le cardiologue. Karl allait devoir surveiller son alimentation et bouger un peu plus.

«Le sédentarisme: voilà l'ennemi!»

C'était une bonne nouvelle, non? Il y avait là de quoi se réjouir et sûrement pas de raison de s'entredéchirer.

«Tu sais comme moi que cette bonne nouvelle, comme tu dis, elle s'accompagne d'un suivi.»

Marie touchait le nœud du problème. Karl n'obéissait qu'à ses impulsions, jamais il n'acceptait de négocier ses désirs.

« Et ça, lui dis-je, ça peut ressembler à un calvaire qu'on aura, tôt ou tard, à grimper sans même savoir ce qu'on risque de trouver tout en haut. Et connaissant Karl, on peut s'attendre à n'importe quoi.

— T'aurais quand même pas souhaité qu'il meure !

— Jamais dit ça. »

Je me suis appuyé les reins sur le comptoir de cuisine pour mieux la regarder opérer. J'éprouvais presque l'envie d'applaudir son regard dans le vague, sa façon d'hésiter comme si elle se préparait à sauter dans le vide… Superbe Marie, elle atteignait des sommets dans l'art de toucher la cible.

« Si j'ai bien compris, s'est-elle décidée, c'est inutile de m'attendre à ce que Karl aille habiter chez toi pendant quelques semaines ? Tu penses que moi, dans ma situation, je suis mieux placée pour l'accueillir ici ? Avec le bébé, mon travail, ce roman que j'arrive pas à finir… Sincèrement, tu penses vraiment que je peux ne serait-ce qu'envisager le prendre ici ? J'aimerais bien que tu fasses le tour de l'appartement pour me dire où je pourrais aménager un coin tranquille pour une personne qui a besoin de repos. »

Elle devrait balancer la littérature du côté des rêves perdus et s'atteler aux grandes causes. Côté démagogie, je lui décernais la médaille d'or. J'ai glissé mes poings dans mes poches et regardé le sol un long moment dans l'attente de la suite que je connaissais déjà.

« Il faut en prendre soin, Marc. Il faut le remettre sur pied. C'est notre devoir. C'est en se serrant les coudes qu'on s'en est sortis. »

Elle lançait ce genre de phrases sans trop que je sache d'où elle les sortait. La question n'avait pas encore été abordée qu'elle avait déjà placé ses pions, et il n'était pas loin l'instant où je devrais coucher mon roi. Étais-je seulement capable d'imaginer toute une suite d'interminables jours avec mon frère dans les parages? Du matin au soir et du soir au matin avec cette princesse baveuse sous les yeux? À m'assurer qu'il avale ses médicaments, qu'il obéisse aux consignes, qu'il équilibre son alimentation et quoi encore?...

J'arrivais tout juste à maintenir ma tête hors de l'eau et voilà que je devais servir de bouée à un gars qui n'en cherchait que le fond? Sacrée Marie avec ses entourloupettes qui lui facilitaient l'existence tout en empoisonnant celle des autres!

« Il met même pas de capote quand il baise. »

Elle m'a regardé avec des yeux si intenses qu'on aurait dit tout un peloton d'exécution en joue. Mais je savais qu'elle allait se reprendre et trouverait les mots justes pour que je plie l'échine tout en gardant l'impression d'être resté droit comme un piquet.

Je pouvais tergiverser pendant des heures, les dés avaient déjà roulé. Je ne faisais qu'étirer le temps avant de baisser les bras. Juste pour lui rendre la partie un peu plus difficile et dissiper l'impression qu'elle pouvait me retourner comme une crêpe.

Stupide idée.

Ma décision était prise. Même si j'en connaissais les conséquences, je plongeais tête première. Parce que c'était elle. Parce que c'était Marie et qu'elle pouvait tout attendre de moi. Et puis, ce n'était pas la première fois que je sautais à pieds joints dans un panier de crabes. Elle aussi, elle connaissait la chanson. Rien qu'à la regarder avec son marmot dans les pattes, coincée entre ses rôles de maman parfaite, de *waitress* zélée et de romancière acharnée, on voyait qu'elle était totalement au parfum de la vie et de ses pièges.

« Ce qu'il lui faudrait, pensais-je, c'est qu'un autre type trébuche dans son lit ou alors qu'un succès littéraire lui tombe dessus. Peut-être regarderait-elle alors la vie avec un peu plus de légèreté et, du coup, elle allégerait la mienne. » Je croyais naïvement que les écrivains étaient ainsi, impraticables avec des demi-succès et charmants comme des chiots avec la reconnaissance en poche.

Un long silence a succédé à un autre tout aussi long.

Le vent venait du nord. C'est la cheminée de la ZEMCO qui me l'annonçait en éparpillant ses poisons vers le sud. Le nuage roulait en douce dans le ciel et s'étiolait en longs filaments qui allaient ajouter leur part de saletés dans les poumons des gens du coin. Quand on pense que le simple fait d'allumer une cigarette en public vous relègue au rang de tueur en série…

« Ça va, Marie, me suis-je décidé, on va trouver une solution. »

Dans sa tête, c'était déjà résolu. Son visage s'est illuminé et c'est tout juste si elle n'a pas couru chercher des draps pour ma chambre d'amis.

Je lui ai quand même fait admettre que ce lien forcé avec Karl représentait une tâche qui pouvait s'alourdir avec le temps et qu'en cas de fatigue elle devrait venir mettre l'épaule à la roue.

Devant son enthousiasme mal contenu, j'ai pris ses réponses affirmatives avec un grain de sel. Lui aurais-je demandé la lune qu'elle se serait engagée à me la décrocher.

L'air lui ferait le plus grand bien, selon elle. Rien comme la nature pour remettre quelqu'un sur pied. La rosée du matin, la fraîcheur des nuits, le souffle du vent dans la crinière des grands feuillus… Sans compter qu'un mode de vie plus stable… Une alimentation plus équilibrée… Des valeurs plus solides… Et quoi encore ! L'harmonie de deux gars qui n'avaient jamais échangé plus d'une demi-douzaine de phrases, et souvent orageuses ?

Devant mon silence, elle a haussé les épaules avant de secouer la tête et de laisser échapper une sorte de sifflement plaintif.

« Il faut se serrer les coudes, Marc. Tu le sais, ça. On n'a pas le choix de se serrer les coudes. On est seuls, Marc. On a toujours été seuls, tous les trois. »

J'avais beau comprendre ce qu'elle voulait dire, une partie de moi refusait d'y adhérer et de réduire mon existence à ce trio souvent mal fagoté.

Elle a plongé Martin dans une baignoire de plastique où il bougeait tant qu'en moins de deux la table de cuisine s'est retrouvée remplie de petits lacs luisants sur le stratifié vert.

« Tu veux manger quelque chose ?

— Non, je dois rejoindre Francis.

— Faites tout de même attention de pas vous faire pincer.

— On va pas voler, on va récupérer des objets appartenant à Karl.

— Sauf que ces objets-là se trouvent dans un appartement où il y a un sérieux retard de paiement.

— Trois mois, pour être exact. »

J'ai posé les lèvres sur le bout de mon doigt que j'ai appliqué sur le front humide de Martin avant de faire la bise à ma sœur.

Près de chez Karl, on s'est stationnés pour prendre le pouls des environs. On la jouait prudente, bien conscients que trois mois de loyer en retard, ça finit par aiguiser les crocs d'un gars.

« T'es bien sûr que le proprio est absent ? » s'est inquiété Francis.

Le type en question était contremaître sur le quart de soir à la ZEMCO. Un chiant de première qui collectionnait les ennemis comme d'autres, les médailles.

« T'as déjà fait ça, te pousser d'un appartement ?

— Je compte plus les fois. Et avec Marie, aussi. Et toi ?

— Non, ça doit être pour ça que je me sens nerveux. Ça me donne envie de pisser.

— *Fuck*, Francis, on s'en va pas dévaliser une banque.

— Non, mais on s'en va voler trois mois de loyer.

— On peut voir ça comme ça. Mais on peut aussi se dire qu'on fait la charité à un pauvre gars qui est malade. »

Tout ce qu'il fallait, c'était faire vite et rester naturels.

Pendant que Francis vidait sa vessie, j'ai fait le tour de l'appartement pour tenter d'évaluer l'ampleur de la tâche.

« Par où on commence ? » m'a chuchoté Francis.

Le problème se trouvait là. Karl avait parlé de deux ou trois trucs auxquels il tenait particulièrement et qu'il voulait soustraire au huissier. Mais de quelle nature ils étaient, je n'en savais rien. Le mobilier, passablement réduit, ne me semblait d'aucun intérêt. Des cochonneries à moitié déglinguées qu'il avait sans doute eues pour trois fois rien.

« Tout aurait été plus simple s'il t'avait dit ce qu'il voulait emporter.

— Le hic, c'est qu'il avait pas prévu avoir un malaise. Et, s'il te plaît, cesse de chuchoter.

— N'empêche qu'on perd du temps à se questionner…

— Bon, écoute, Francis, on s'entend pour dire que les meubles valent rien. Pas question qu'on s'embarrasse de ça. Donc, va falloir fouiller et je veux te prévenir qu'on peut trouver de tout. Ce qui veut dire, en clair, que ce qui se passe ici, ça reste entre nous. Surtout, faut pas que ça vienne aux oreilles de Marie.

— Tu me fais presque peur. Tu t'attends à trouver quoi?

— C'est ce que je viens de te dire, j'en ai aucune idée. »

Je tournais dans tous les sens en me demandant ce que moi, je garderais s'il s'agissait de mes affaires. Tout était si désuet, usé et laid qu'il devenait impossible d'imaginer que Karl puisse s'intéresser à quoi que ce soit.

« Concentre-toi sur les disques, j'ai dit à Francis, je vais m'occuper des vêtements. »

Ce qu'au fond je craignais, c'était que Karl ait planqué une quantité suffisamment importante d'une drogue quelconque et que ça tombe entre les mains du proprio pour finir dans celles des flics.

« Ouais, ben, je veux bien donner un coup de main, mais je veux pas me retrouver avec des problèmes.

— C'est pour ça qu'on est ici, Francis, pour éviter d'avoir des problèmes. Si en plus de ses ennuis de santé, Karl se retrouve avec un dossier judiciaire, t'imagines la tête de Marie? »

Le regard qu'il m'a lancé m'a laissé entendre qu'on se comprenait parfaitement. Que l'un comme l'autre, on voulait éviter de se retrouver avec Marie sur les bras.

Quinze minutes plus tard on sortait de la baraque, alourdis de quelques sacs bien remplis. Le cœur léger comme deux ados venant de réussir un coup fumant, on pouffait sans raison. J'aurais bien aimé qu'on aille prendre un verre, comme il nous arrivait de le faire dans le temps.

« Désolé, Marie m'attend. Elle a une réunion.

— C'est inutile d'insister?

— Parfaitement inutile. »

On a quand même pris le temps de fumer. Il m'a donné des nouvelles du chantier et des gars qui y travaillaient et j'ai compris que toute cette vie-là me manquait. Je me souvenais de certains soirs où je rentrais, éreinté, en maudissant cette saleté d'existence. Les levers au chant du coq, les échéances à respecter, les compromis à faire… Je me rendais compte que je donnerais cher pour y retourner, reprendre la routine, celle-là même que j'avais haïe de tout mon être. Et je me retrouvais à envier tous ces pauvres types qui s'écorchent le cœur sur un travail sans âme.

Six

Le Palace était à toutes fins utiles désert. Il y avait bien une grappe de gars dans un coin, mais je les ai ignorés et je me suis assis au bar où le barman de soir se cassait la tête sur une grille de mots croisés. Je lui ai signalé que le premier mot, sur la quatrième horizontale, était *tmèses*. J'avais complété cette grille le matin même et j'aurais pu lui fournir un tas de mots, mais je l'ai laissé se creuser les méninges.

J'avais jamais aimé ce gars-là et, en retour, il détestait férocement Vic, mon père. Pourtant, il devait bien savoir que c'était son boulot qu'il mettait ainsi en jeu. Dans l'esprit de la patronne, Vic était chez lui au Palace. Un mot à Luce et le barman levait les pattes.

«Salut, le fils de Vic.»

Ça venait d'un tabouret voisin. Le pantin de ventriloque en personne qui me saluait, sans façon, avec un sourire mou. Il y avait chez l'homme comme un double emploi. D'abord, un côté idiot du village qui incitait à une gentillesse spontanée et nous permettait de vérifier la blancheur de notre âme et l'étendue de notre empathie. Ensuite, un côté «pas moyen de revenir en arrière» qui fait les êtres burinés, marqués à jamais mais tout de même souriants. On soupçonnait quand même que son sac à malice débordait de surprises capables de vous en mettre plein la gueule. J'ai remarqué qu'il lui manquait deux dents, ce qui ajoutait à son air clownesque. Il y avait aussi le cuir de sa peau, le creux de ses yeux, l'arc de son nez qui nous plaçaient devant une laideur peu commune. Du premier coup d'œil, on remarquait qu'il avait son compte, mais pas suffisamment pour l'empêcher de sauter sur l'occasion d'un brin de causette.

Avais-je envie de l'entendre ?

C'était le dernier de ses soucis.

« Marc, c'est ton nom. Je sais, Vic le prononce souvent. Quand t'es pas là, il t'appelle Marco. Des fois, il dit le Ti-Marco. J'habite juste ici, la maison de chambres sur le coin. Tu connais ? Ben sûr, tu viens du coin. Moi, je suis à Rivière-Sainte-Camille depuis six mois. Non, cinq. Sais plus… Suis arrivé en plein hiver. De la neige partout. Me cherchais une place tranquille pour mes vieux jours. Je suis de Montréal, dans l'est. Tu connais la rue Sainte-Catherine ? Ben, j'étais juste un peu plus haut. Je sentais que c'était plus ma place. Je me levais le matin, un café et des mots cachés toute la journée. Des fois, j'avais le goût de parler. J'allais au parc, y avait du monde. Mais l'hiver, oublie ça. Regarde mes mains, du rhumatisme.

Merci pour la bière.

Pas de femme, pas d'enfant, plus de travail, je me suis dit : Nicolas, faut que tu te trouves un coin tranquille. Je pouvais plus rester en ville. Trop de monde pis personne en même temps. Il se passe toujours tout plein d'affaires, mais on dirait qu'il se passe jamais rien. Pas facile à expliquer… Je suis Indien, Montagnais… La ville, c'est pas fait pour un Montagnais… Fallait que je parte de là… Pouvais pas non plus retourner chez nous, je connais plus personne, pis je me serais fait narguer. Le traître qui se pensait plus fin que les autres pis qui se fait fourrer par les Blancs. Hé, hé !

No way. On peut jamais revenir en arrière. Quand un jour t'as commencé à partir, tu peux juste continuer de partir. Pis comme on dit, la bière goûte la même chose qu'on soit en ville ou à Rivière-Sainte-Camille.

Veux-tu une cigarette? J'ai pas de feu par exemple.

Je suis content de connaître Vic. Un bon bonhomme. Un monsieur, comme on dit. Fier, solide, intelligent comme un singe. Pis simple avec ça! Les autres aussi, je les aime ben. On s'amuse, on fait pas de mal à personne. Je passe mes journées avec eux autres, pis le soir, je viens prendre une petite broue ici, pis je repense à ma journée. Y a du bon monde à Rivière-Sainte-Camille. Je regrette pas de m'y être installé. Je vois la rivière de ma fenêtre, l'air est pur, les gens sont gentils... Des fois, le soir, j'ouvre la télévision pour regarder les nouvelles et on voit souvent des images de Montréal, pis je m'ennuie un peu. C'est normal. J'attends la nuit pour arriver au lendemain. Des fois, je suis surpris qu'il soit là, le lendemain.

Paraît que t'es un bon pêcheur? Non, non, essaye pas, je le sais que t'es un bon pêcheur. Vic est pas fort sur les compliments, tu le sais, ça. Il m'a dit: "Mon Marco, c'est le meilleur pêcheur du coin. T'en trouveras pas de meilleur."

J'ai déjà fabriqué des trophées pour des tournois de pêche. Je travaillais dans une shop de trophées. On en faisait pour toutes sortes de sports. Bowling, hockey, volleyball, tennis, baseball, chasse pis, ben sûr, la pêche. On en a même fait un pour une championne de tricot! Deux tiges avec des fils d'or qui montaient pour former une mitaine. C'était beau, même si c'était pas vraiment de l'or. Un jour, ç'a fermé. Une trentaine d'employés mis à la porte. Personne a gueulé contre le boss. Y avait pas le choix: y a plus de champions. Sais pas ce qu'ont les gens... Ils font plus rien.

On peut quand même pas faire des trophées pour des trous de cul.»

Le pantin avait un mal de chien à garder les yeux ouverts et ça devenait difficile de suivre le cours de sa pensée. Allez savoir combien de bières s'étaient glissées dans ce gabarit somme toute petit au cours des douze dernières heures.

« Et Vic, vous savez où il est ? »

D'une main hasardeuse, il m'a indiqué la sortie avant de cligner de l'œil et d'esquisser un sourire baveux.

« Écoute, vieux, j'ai lancé au barman, si j'étais toi, j'utiliserais un crayon à mine pour les mots croisés. »

Comme souvent quand le temps est doux, j'ai mis les voiles après avoir effectué un bref détour jusqu'au dépanneur le plus proche pour y ramasser un six-pack et des cigarettes. C'est tout ce qu'il me fallait pour m'assurer de passer une soirée décente. J'ai filé sur le rang des Étangs, accompagné du chant des rainettes qui s'esclaffaient jusqu'au chemin Saint-Onge. J'ai tourné à gauche avec une attention accrue compte tenu de l'étroitesse de ce chemin de terre sèche et graveleuse bordé d'un bois serré. La seule idée d'une étincelle aurait suffi à y foutre le feu.

« Faut garder les idées claires », je me disais.

Les soirs de beau temps, j'avais droit à un concert d'étoiles et cette soirée-là ne faisait pas exception. J'anticipais les courbes, surtout celles qui surgissaient, inattendues, comme un fauve bondissant. Je n'étais pas du genre à croire qu'on apprivoise ce type de géographie. On se casse la gueule pour moins que ça.

« Pas de pétage de bretelles, Ti-Marc… L'œil ouvert, les bras tendus vers le volant et le sourire aux lèvres… »

Et puis, là où l'horizon se frotte au pare-chocs avant, une éclaircie pratiquée à même une mince bande de forêt par nul autre que Bibi, Ti-Marc, le fils de Vic. Le pick-up s'y est glissé comme une dague dans son fourreau, jusqu'à se tremper dans la Sainte-Camille. La lune s'écorchait aux cimes, s'y effilochait pour ensuite se répandre sur la rivière comme une nappe d'argent qui ondulait lentement jusqu'aux prochains rapides. J'ai bu à la gloire de cette paix totale et trop rare, le bras sorti par la vitre descendue à enfiler les cigarettes en ne pensant à rien, la tête comme un volcan éteint, ouvert au-dessous des petits soleils morts. Ces instants comptaient parmi ce que je vivais de plus apaisant depuis l'accident.

Se garer devant la baraque de Victor ressemblait à un cadeau du destin pour un type dans ma condition. La rue était à ce point déserte qu'on aurait pu y parquer un paquebot sans déranger qui que ce soit. Je n'avais qu'à rouler la bagnole et, comme la cabane se trouvait au niveau du trottoir, ma jambe n'était jamais mise à contribution. Suffit qu'une petite merde vous tombe dessus pour que vous vous mettiez à chercher la moindre facilité. Le plus pathétique, c'est que vous considérez la chose comme normale, et l'idée d'atteindre des sommets s'évapore comme une flaque d'eau en plein soleil. C'était peut-être de ça que voulait parler le pantin avec son histoire de trophées.

Du premier coup d'œil, j'ai saisi que je tombais sur un de ces soirs où il ne faut pas compter sur mon père pour fermer la journée. Étendu sur le sofa, grognant comme un ours, Victor roupillait, la gueule ouverte comme un avaleur de sabre. Les membres lourds et mous comme des torchons imbibés. La télé crachait une lumière qui bleuissait le décor avant de le plonger dans des tons d'orangé irradiant toute la pièce. C'était une pub de céréales avec des enfants qui s'empiffraient devant une jeune maman qui jubilait littéralement de les voir heureux.

J'ai tourné en rond un moment avant de faire un tour rapide de la maison qui m'a permis de constater que rien n'y changeait jamais, sauf l'accumulation de crasse et de poussière. Un troupeau de moutons roulait sur le sol, poussé par un courant d'air qui se faufilait par miracle entre les murs poisseux et les piles de boîtes qui s'y adossaient.

Dans le frigo, un pain Weston, un pot de moutarde, un plat de Dieu sait quoi et quelques tranches de fromage. Rien à boire. Ici, les bouteilles, elles se vidaient.

La tentation m'est venue de fouiller certains recoins en profondeur. C'était pas vraiment un désir, plutôt un vague besoin de mettre un nom sur l'incompréhensible. Mais qu'aurais-je pu trouver? Une réponse? Un détail assez probant pour jeter une nouvelle lumière sur ce que j'avais sous les yeux depuis toujours? Je me dégoûtais de nourrir une idée semblable. Y avait-il forcément un grand secret derrière chaque bouteille, sous chaque défonce en règle? Je n'étais pas aveugle au point d'ignorer que le moteur de cette curiosité morbide n'était que mon propre désarroi. Mon petit fiasco à moi. Ces petites faillites qu'on trimballe en silence du matin au soir et qu'on grime de plus en plus souvent. Ce désir malsain d'un passé visible, d'une origine concrète pour accepter l'idée de sa propre fin.

La difficulté que j'éprouvais à comprendre ce bonhomme, mon père, à le saisir pleinement, à l'imbriquer dans une logique quelconque tenait peut-être du fait que je le sentais comme presque mort, râlant son dernier souffle.

De retour au salon, j'ai ouvert une fenêtre en souhaitant que le vent arrive à chasser cette puanteur.

Comment s'y prenait-il pour se rendre jusqu'ici? Par quel miracle parvenait-il à traverser toutes ces rues sans se faire happer, voler, battre, assassiner? Quel ange veillait sur ce vieil engin et le menait jusqu'à son lit? Comment se nommait le démon qui gardait ces cloches qui, comme Vic, traînaient leurs carcasses d'un matin à l'autre?

Un sacré tas de questions qui resteraient sans réponse et qui s'empilaient dans la case des mystères où ça commençait à s'accumuler.

Et c'étaient les questions les plus mignonnes. Des questions anodines, comparées à celles qui, un de ces jours, surgiraient... Un peu plus urgentes et définitives. Des questions qui ne toléreraient aucune tergiversation, aucun repli et auxquelles je devrais faire face seul. Et pas question de faire comme si... Pas question de tourner la tête pour que tout disparaisse avant de passer à autre chose. Pas question de les noyer, même dans un océan d'alcool...

« Que feras-tu de lui quand il n'arrivera plus à rien?
Ce poids...
Déjà la canne... En plus l'enclume?
Quand sa voix ne dira plus que du vent? Que la terreur muette te gonflera le cœur? Que feras-tu quand il se mettra à chier dans son slip?
Où trouveras-tu la force de l'épauler, de l'excuser et d'y greffer un soupçon d'intérêt? » me questionnait une petite voix qui tournait dans ma tête.

D'ailleurs, un vague relent d'urine me laissait comprendre que ce jour-là n'était pas bien loin. Qu'il allait falloir se retrousser les manches et affronter des jours encore plus sombres. Mais il rôdait plus que l'odeur de vieille pisse surie : la puanteur d'une vie brouillée, broyée, noyée dans sa propre histoire.

Un jeune Johnny Depp remplaçait la pub de céréales. Une tête juvénile et inquiète. J'avais déjà vu ce film. Sa maman était grosse comme une baleine et menaçait le plancher de bois qui craquait sous son poids.

Allait-il jusqu'à la tuer ?

« Me semble que non. »

Il en avait honte, mais tout en douceur. Il rougissait à la simple idée qu'on puisse l'apercevoir, mais sans causer le moindre fracas. Dignement. Ce qui était drôle, c'était d'entendre les rugissements de Victor qui lui donnait la réplique. Par moments, on aurait dit qu'un ours s'était logé dans la gueule d'un ange.

Je me suis finalement envoyé la dernière bière, celle qui lui était destinée.

« Tant pis pour lui. »

Je regardais au plafond comme si la clé de l'énigme s'y trouvait. Les couleurs de l'écran s'y reflétaient avec moins de force que sur la peau blême de mon père. Puis, j'ai étendu la jambe sur la table du salon parce que, de ce côté-là, ça commençait à hurler. Toujours la même douleur qui se pointait comme un loup sournois, indomptable et qui déjouait tous les pièges.

C'était l'heure où, avant mon accident, je me questionnais sur la fin de la soirée. Dans quel bar ? Avec quelle fille ? Avec la moto ou le pick-up ? Dans les rues bruyantes de la grande ville ou dans un coin tranquille de Rivière-Sainte-Camille ? Chez elle ou chez moi ?

Je riais en me rappelant de cette époque où je surveillais mes consommations, les espaçais, les dosais savamment, histoire d'être à la hauteur à l'instant où la fille du jour s'ouvrirait à moi.

Il me fallait bien admettre que, depuis, la vie tournait en boucle. Oh, pas question de m'apitoyer sur mon sort, c'était le port inévitable de toute existence. J'y étais seulement arrivé plus vite que la moyenne des gens.

Johnny Depp foutait le feu à la cabane avec la baleine morte à l'intérieur, et c'était un sacré bon moment de cinéma.

Sept

C'est tombé au moment où je ne m'y attendais pas. Depuis quelque temps, il me semblait que tout concordait pour me zigouiller ce brin de tranquillité que je cherchais et que je ne faisais que frôler. Comme si l'Univers s'était passé le mot pour me plonger dans l'ombre. Rien à voir avec Victor. Celui-là, il menait sa barque comme il l'entendait. La dérive, c'est encore une façon d'éviter le surplace.

Les cheveux balayés par le ventilateur, je me jurais bien de toucher cette petite oasis à cinq sous mais aussi efficace qu'une île enserrée de remparts épais. Intouchable, introuvable, absent. Je voulais parfaire cet art de l'absence, apprendre à aimer cette satanée solitude que toujours j'avais fuie comme la mort. Je soupçonnais que quand on naît en double, c'est foutu pour la solitude. Mais je sentais tout aussi fortement que je devais réussir.

J'étais déjà à pied d'œuvre. Un vieil album de Neil Young (*After the Golden Rush*) tournait, je goûtais un sirupeux vin de Californie et lisais quelques poèmes de François Charron. Dehors, l'air me semblait plus abordable, moins chargé. On aurait dit un de ces jours parfaits pour retaper les ravages, les farder un peu et reprendre quelques couleurs.

J'aimais cette impression absurde de pouvoir orchestrer le chaos. Souffler sur les plaies et mater l'amertume.

J'avais même songé un moment à me cuisiner une chose qui m'aurait fait plaisir, histoire de faire que cette journée soit parfaite en tous points. Je n'imaginais que des trucs impossibles, du genre à exiger toute une panoplie d'ingrédients qui me manquaient. Me restait plus qu'un paquet de viande hachée, et j'en avais jusque-là du pâté chinois.

Quand le téléphone a sonné, je n'ai pas bougé d'un cil. Je regardais ailleurs, faisais l'absent, le sourd, le mort six pieds sous terre. J'imitais celui qui a largué le monde pour se concentrer sur les petits plaisirs de l'existence. N'y avait-il pas quelques branches à ramasser sur le terrain? N'avais-je pas quelques occupations qui m'attendaient, hurlantes d'urgence? Au bout de la quatrième sonnerie, la voix de Karl a surgi du répondeur pour m'annoncer sa sortie de l'hôpital.

« … je suis en pleine forme! »

Le doc venait tout juste de lui annoncer qu'il était fin prêt à reprendre la vie là où elle avait risqué de s'arrêter.

« … donc, demain matin à neuf heures. Chambre 410. C'est gentil de venir me chercher. Marie est déjà au courant, mais c'est impossible pour elle de se joindre à nous. »

Je me suis allumé une cigarette pour constater à quel point la vie pouvait fracasser la vie. Tout n'était qu'une question d'angle et de lumière. Je n'arrivais à slalomer entre les soûleries titanesques du paternel et le jardin noir de Marie que dans la mesure où une petite lueur arrivait à fendre l'ombre.

Le fait est que je venais de vivre ces dernières journées dans le déni total de ce qui était arrivé à Karl. Il aurait très bien pu se trouver en vacances aux îles Moukmouk, en cavale dans ses univers grisâtres ou pris par ses multiples occupations (rarement gratifiantes) que j'en aurais été au même point. Même si Marie y avait vu la marque d'un désintérêt impardonnable, j'y voyais, pour ma part, le signe d'une fraternité fatiguée. Autant je sentais Marie couler dans mes veines, autant je me sentais capable de soulever des montagnes pour les déposer à ses pieds… Je n'éprouvais pour Karl qu'un intérêt tiède.

« Et puis, ta jambe ? » me demanderait-il.

« Et puis ton cœur ? » lui répondrais-je.

Ça changerait le mal de place, comme on dit. On allait me foutre la paix avec mon problème. On cesserait d'épier mes tourments ou d'interpréter mes grimaces maintenant que rôderait ce cœur capricieux dont on s'inquiéterait. C'est vers Karl que Marie dirigerait ses élans maternels toujours bourrés d'inquiétudes et de conseils. Pour une fois, la seconde place m'allait comme un gant. Je deviendrais un cas moindre, de ceux qu'on remarque à peine. Pas de quoi se plaindre quand on se compare.

Un soleil d'enfer plombait le stationnement de l'hôpital où s'empilaient les bagnoles. Aucun souffle de vent. Les gens ressemblaient à une armée de zombies assommés par la chaleur qui frôlait les 40 degrés et les vidait de toute forme d'énergie. Je les regardais avancer avec leurs boulets invisibles aux pieds et me demandais à quoi, moi-même, je ressemblais quand je m'y risquais. Une caricature de ce qu'eux-mêmes étaient. La saccade rythmée d'un mauvais orchestre. Un épouvantail secoué par le passage du sirocco.

J'étais en avance. Une bonne quinzaine de minutes. Peut-être plus. Le temps de fumer deux cigarettes et de vider d'un trait la bouteille d'eau qui ne me quittait plus. Il n'y avait à peu près pas de fille et les filles, c'était tout ce qu'il y avait d'appréciable par grandes chaleurs. Avec leurs petites robes, leurs chignons et ces fameuses jambes nues, on arrive presque à supporter l'insupportable.

C'était un sale été.

Dans le corridor, on s'entassait pour sauter dans les ascenseurs qui étaient d'une lenteur infinie. Il y avait toujours une civière ou un fauteuil roulant pour nous bloquer le passage et repartir en emportant un morceau de notre patience. Les gens sentaient mauvais ou alors, c'était le douteux mélange des odeurs qui rôdaient dans cette propreté patentée dont les hôpitaux avaient le secret. Zéro compassion pour un infirme qui se traînait avec sa canne. Ici, c'était chacun pour soi et je m'étonnais qu'une bagarre n'éclate pas, dans la mesure où tous les ingrédients étaient réunis pour que les poings se forment avant de s'abattre sur la gueule la plus proche. Tout était toujours en place pour que ça saute. N'avais-je pas moi-même promis un chien de ma chienne à quelques mauvais conducteurs en me rendant ici ? On vit tous sur un baril de poudre, voilà ce que je pensais. On est la proie de tous les dangers, de toutes les morsures pesteuses qu'on distribue au moindre signe de malveillance.

Quand les portes d'un des ascenseurs se sont finalement ouvertes, c'est Karl qui en est sorti avec le sourire d'un prisonnier qu'on venait de gracier. Le pouce sur la poitrine, se pilonnant le torse, en avançant vers moi.

« Comme un neuf ! T'as devant toi un nouveau-né.

— Ben content d'entendre ça, mon frère. Je suis sûr qu'ils t'ont rafistolé pour que tu te rendes jusqu'à cent ans.

— Cent ans, t'exagères, mais avec un peu de volonté, qui sait ? »

Moi. Moi, je savais. Je lui donnais moins d'une semaine pour que le rose de son visage passe au vert. Que

la stabilité apaisante de ses doigts cède la place aux trem-
blements matinaux. Mal de cœur, mal de bloc, manque
de fric. L'inévitable retour à la case départ. Je connaissais
mon frère mieux qu'il pouvait se l'imaginer. Je l'avais vu se
construire jour après jour. Le moindre travers, la moindre
petite faille… Rien ne m'échappait. Je savais que le main-
tien de cette belle forme s'avérerait un travail de tous les
instants. Au prochain tournant, à la prochaine tentation,
tout allait foutre le camp, et la bête retournerait se gaver
à la même auge.

« Je suis passé à ça de la mort, *man*. Rien de moins ! »

Allait-il me parler de cette petite lumière au bout du
tunnel et du chant mélodieux des anges ? Ou encore m'annoncer tout de go que j'avais en face de moi un ressuscité ?
Qu'il n'y a rien comme de frôler la mort pour se découvrir
des valeurs insoupçonnées ?

De tout mon cœur, je souhaitais qu'il m'épargne ces
absurdités autour desquelles on se chauffe innocemment
le cœur. On ne transforme pas un singe en déesse, ni l'eau
en feu. Et s'il me prenait l'envie d'identifier une qualité
chez Vic, une seule, ce serait bien celle de pousser à fond
ce qu'il était sans s'orner de vertus stupides et menson-
gères. Jusqu'à l'extinction. La fin des fins. Qu'un jour on
crache sur sa mémoire, qu'on pisse sur sa tombe, je savais
qu'il s'en balançait majestueusement, bien conscient qu'il
avait collectionné une sérieuse quantité de lâches ennemis
qui attendaient qu'il trépasse pour exprimer leur piteuse
vengeance.

« C'est possible d'arrêter chez un copain ?

— Pas question.

— Merde, Marc ! Dix minutes, max !

— Non. Tu penses un peu à la tête que ferait Marie ?
Je suis ici, avec toi, comme en mission. À ses yeux en tout

cas. Son petit frère revient parmi les vivants et c'est parmi les vivants que j'ai l'intention de le ramener.

— Et pourquoi elle l'apprendrait, si personne ne le lui dit? »

Je regardais droit devant et fonçais sur l'autoroute, passant d'une voie à l'autre, laissant dans mon dos les lambins. J'étais fier de mon pick-up qui me démontrait avec éloquence qu'il en avait encore dans le ventre. Il puait, boucanait, tremblait de toutes ses ailes, mais il avalait les kilomètres comme un enragé.

Karl boudait comme un enfant privé d'un jouet. Il devait s'imaginer qu'un rescapé se retrouve soudainement avec le monde à ses genoux, orchestrant le va-et-vient de tous ceux qui s'apprêtent à combler ses moindres désirs.

«Et tant qu'à aborder le sujet, ai-je senti le besoin de préciser, j'ai pas l'intention de vivre l'enfer pendant ton séjour entre mes quatre murs. C'est chez moi que je te ramène et pas dans un Club Med. J'ai rien d'un G.O. et ma baraque n'a rien d'un hôtel de luxe. Je vais te cuisiner des trucs santé et, crois-moi, tu vas les bouffer. Quitte à t'en gaver comme une oie.

— ... le régime militaire, si je comprends bien. Je sors de l'hôpital pour entrer en prison? C'est ça?

— Merde, Karl, t'as pas trente ans et te voilà avec une crise cardiaque au dossier...

— Un avertissement...

— Sérieux... Un sérieux avertissement. »

Le reste du voyage s'est déroulé dans un silence monastique rendu plus lourd par la radio du pick-up qui avait rendu l'âme. Quelques gouttelettes s'écrasaient sur le pare-brise, même pas de quoi actionner les essuie-glaces mais quand même suffisamment pour que je me mette à espérer une petite trêve. Que l'écrasante chaleur qui nous tuait, qui asséchait la rivière Sainte-Camille et assoiffait le paysage tout entier nous donne un répit, même de courte durée.

J'étais prêt à voir la vie du bon côté.

Dans la rue principale, les trottoirs étaient déjà secs et le soleil avait repris son poste. La cheminée de la ZEMCO vomissait lentement son brouillard qui surplombait les environs. Tout était rentré dans l'ordre. Chaque parcelle de cet univers reposait dans la case qui lui revenait, nous évitant la surprise.

« Si le vent ne se lève pas, on va finir par crever empoisonnés. »

Les jours qui ont suivi se sont passés dans une certaine complicité. Sans exagérer, je dirais qu'une fraternité inédite s'était installée presque sournoisement. Karl se disait heureux, serein, reposé, et je n'en demandais pas plus. Il me parlait d'une rencontre qu'il avait faite à l'hôpital, un médecin avec qui il s'était lié d'amitié. « Un peu plus que ça », avait-il roucoulé.

Marie se réjouissait de la situation et me rappelait souvent qu'elle ne se trompait pas quand elle affirmait qu'il se reprenait en main. Seule ombre au tableau, la flamme de Karl habitait une de ces maisons cossues en bordure du Lac-au-Lièvre.

Bref, avec Karl, on a écouté de la musique et discuté de projets pour la plupart abstraits dans la mesure où il était fauché alors que j'étais, pour ma part, lié à ma canne comme un bagnard à son boulet. Ces conditions cruellement objectives ne stoppaient pas nos élans et nous rêvions avec tant de ferveur que je me suis surpris à imaginer un éventuel retour à l'université. Je m'y étais tant emmerdé que la seule idée d'y remettre les pieds aurait dû m'assommer sur le coup. Et pourtant, avec ce vin, cette musique et Karl en pleine forme, je me sentais capable d'envisager même le pire.

Quand il s'est mis à m'expliquer les prémices de son attaque, ces sensations de malaise et la violence qui s'ensuit, j'ai fait tout en mon possible pour ne pas entendre. Karl ne m'a épargné aucun détail. Sans aller jusqu'à m'enfoncer les doigts dans les oreilles, j'ai songé à des choses sans intérêt : le coup de balai que je devais passer, le tuyau d'échappement à remplacer, le balcon qui avait besoin d'une couche de peinture… L'idée était de ne pas entendre, tout en faisant comme si je comprenais parfaitement de quoi il en retournait. À l'époque, je croyais que les faiblesses, les blessures, les défaites devaient rester du domaine privé. Il ne servait à rien de se répandre, de s'affaisser sous des regards toujours trop distraits pour offrir un petit coin d'épaule où s'appuyer. Il ne fallait rien attendre des autres, jamais. Je nous voyais tous comme une bande de naufragés cramponnés chacun à son île, tremblant, apeuré mais tout de même rassuré de se savoir à l'abri de la brutalité.

Si aujourd'hui je sais que cette vision du monde est fausse et excessive, je le savais tout autant à l'époque mais je la préservais, l'étayais et m'en nourrissais.

Je préparais une bavette du tonnerre achetée chez un boucher qui affichait sans crainte qu'il servait la meilleure viande des environs. Ne manquait plus que Marie qui devait se pointer d'une minute à l'autre.

« Tu la trouves comment, Marie, ces temps-ci ?

— C'est-à-dire ?

— Sais pas trop… Différente. Elle me cache quelque chose et ça m'énerve. »

Il n'en avait rien à foutre. Il ne le disait pas, mais je l'entendais quand même. Avec un nouveau gars en tête, Karl se sentait capable de balayer tout le reste. Souvent je le surprenais à rêvasser, les yeux dans le vague et un mince sourire aux lèvres.

« Je te souligne qu'on vient de siffler une bouteille, je lui ai dit en le voyant qui s'affairait à en ouvrir une seconde.

— Le vin rouge, c'est recommandé pour le cœur.

— …

— C'est prouvé ! »

J'éminçais l'échalote en regardant par la fenêtre d'où, malgré une lumière flamboyante, je ne voyais rien de particulièrement réjouissant. Il me semblait que, d'heure en heure, la rivière se rétrécissait. J'imaginais les poissons s'entasser dans les fosses, s'entretuer pour une nourriture devenue rare, s'inquiéter de la nouvelle exiguïté qu'on leur imposait.

« Marie arrive à quelle heure ?

— Pas avant sept heures.

— Qu'est-ce que tu fais le nez à la fenêtre, t'attends quelqu'un d'autre ?

— Non. »

J'attendais la pluie, l'amour, une surprise, une révélation, le père Noël… J'attendais que la vie redevienne vie, que l'avenir scintille comme une petite étoile.

Le téléphone a sonné, et Karl m'a regardé, l'air déçu.

« C'est sûrement Marie qui se décommande.

— Elle m'a promis d'être là. »

On n'était pas pressés de répondre. Tout allait parfaitement bien et j'aimais cette idée d'un repas en famille sans les tracas habituels. Une soirée toute simple entre nous, comme à l'époque où la vie nous nourrissait sans que nous sentions le besoin de ressasser les petites merdes qui l'encombrent. Et ce genre de soirées remontait à loin. Ça pouvait s'organiser en cinq minutes, sans complication et sans grands frais, mais on laissait s'ériger des barrières sans lever le petit doigt pour protester.

Karl s'est finalement collé le récepteur à l'oreille pour aussitôt me le refiler.

Je sentais qu'un oiseau de malheur allait se percher sur mon épaule pour me gazouiller que quelques emmerdements m'attendaient au détour. Que j'étais un parfait imbécile de croire toucher un jour le long fleuve tranquille.

« J'ai l'impression que t'as une âme à sauver. »

Au bout du fil, j'entendais Luce à bout de souffle qui suppliait un fils de venir sauver son père. Une loufoquerie du paternel bourré comme un œuf qui venait d'oublier que ses vingt ans se trouvaient loin derrière. Elle gaspillait son temps à m'expliquer ce que déjà je savais parce que c'était écrit dans le ciel. Gros comme un astre qui vacille avant de me tomber sur le dos.

« Oui, bien sûr… Oui, bien sûr… Oui, bien sûr… »

Que pouvais-je dire de plus? Que pouvais-je ajouter au gâchis qui poursuivait sa course? Comment pouvais-je stopper un homme qui fonçait la tête la première dans la totale clochardisation? Et puis Karl qui me regardait, qui n'échappait pas une petite miette de la discussion… Sans la moindre délicatesse, il se tenait à ça de moi, comme pour enfoncer le couteau dans une plaie pourtant suffisamment ouverte.

« Je dois sortir. »

J'avais besoin que d'une trentaine de minutes pour arriver au Palace. Une trentaine de jours, d'années ou de siècles, on pouvait aisément confondre selon ce qui me trottait dans le crâne. Je n'étais plus pressé. Plus jamais je sentais l'étreinte de l'urgence me prendre à la gorge, me faire pâlir, me tambouriner dans la poitrine jusqu'à en perdre le souffle. Je supportais mon lot dans une écœurante soumission.

J'imaginais la tête de Marie en entendant le récit de la bouche de Karl et j'avais presque envie d'éclater de rire. Ses phrases devaient siffler comme des balles perdues, des balles sans véritable cible qui terminaient leur course sans toucher quoi que ce soit. Et Karl qui devait en ajouter, trop heureux de fournir à sa grande sœur de quoi mordre à belles dents. Je savais qu'un de ces jours il me faudrait tirer cette histoire au clair. Tout ce qui me manquait, c'étaient les mots pour expliquer qu'il m'était totalement impossible de haïr cet homme. De cette pourriture, il m'arrivait de percevoir comme un relent apaisant. Quoi qu'on en dise. Ils pouvaient toujours étaler la longue série de griefs qui leur broyaient le cœur, justifier la haine, attiser la hargne…

Je n'avais que du silence à opposer.

Comme je m'y attendais, des voix rauques et couillonnes résonnaient jusqu'au trottoir.

«… un peu plus et je lui sautais à la gorge.»

«J'avais ma bouteille dans la main, prêt à l'assommer!»

«… on va trouver son adresse. Faut pas laisser faire ça sans se venger.»

Fanfaronnade de ti-culs boutonneux, ai-je pensé en tirant sur ma cigarette. Le rire de mon père me permettait de respirer un peu. Rien de bien sérieux. S'il trouvait encore la force de fendre l'air avec son rire, c'était qu'encore une fois Luce avait enflé les faits. Elle saisissait chaque occasion pour alimenter ce petit cinéma qu'elle se fabriquait à l'ombre d'un décor qui croupissait de jour en jour.

Je ne pouvais sincèrement pas lui en tenir rigueur. Je me permettais donc de souffler un peu en compagnie d'une cigarette que je considérais amplement méritée.

J'aimais bien cette heure où le soleil, dans sa chute, s'accrochait comme un désespéré aux façades des maisons de la rue principale de Rivière-Sainte-Camille. Je rêvais d'être peintre pour le simple plaisir d'y planter un chevalet et de constater l'impossibilité de reproduire cette lumière-là. La farouche constellation des heures qui fuient.

Se tenant le grain serré, les copains de Victor me regardaient, silencieux, comme des coupables pris la main dans le sac. Je me tenais debout devant mon père qui appliquait un chiffon bourré de cubes de glace sur son œil. Quand il s'est décidé à lever la tête, c'est pour me lancer un sourire plein de malice.

«Paye-moi une bière, fils, s'il te plaît.»

J'ai enfoncé mes poings dans mes poches et j'ai regardé tout autour, des fois qu'un ange passerait. Je ne pouvais imaginer cette fratrie loqueteuse en guerre. Quelle guerre pensaient-ils mener sans croupir au bout de deux pas? Quel ennemi se sentaient-ils encore capables de pourfendre?

Le pantin de ventriloque s'est détaché du groupe pour venir tempérer ce qu'il appréhendait.

«Salut, Marc. Je veux simplement te dire que c'est pas sa faute. Un jeune baveux qui cherchait le trouble…

— Laisse tomber, l'a coupé mon père, c'est mon fils. Il me connaît bien, mon Marco. Il sait que je suis pas du genre à me laisser insulter.»

La centième? Millième? Dix millième fois que je venais réparer les dégâts? Que je ramassais les pots cassés pour sauver la face devant tous ceux qui n'attendaient que le prochain débordement pour le détester un peu plus, le pointer du doigt une fois qu'il aurait le dos tourné et se lancer des sourires entendus.

«… dix ans de moins, mon gars, et le baveux serait là, sur le plancher, avec la gueule en sang.»

Devait vouloir sauver la mise devant cette bande de vieux décatis qui se contentaient d'opiner du bonnet. Ils regardaient Victor s'éponger l'œil en débitant une enfilade de sornettes qu'eux seuls pouvaient encore avaler comme autant de pseudo-vérités.

Je me suis retiré du côté du bar où Luce disait trembler encore de cette échauffourée.

J'ai pris sa main dans la mienne.

«J'aimerais bien te promettre que ça ne se reproduira plus, Luce.

— Non, Marc. Laisse tomber. Ça va aller…»

Mais un jour, ça n'irait plus.

Un jour, Luce en aurait jusque-là des fredaines du bonhomme, ses copains se lasseraient de sa chute. C'est bien connu, les chefs, on les aime debout! Suffit qu'ils plient l'échine pour qu'on les tasse du bout du pied. J'ai mis du fric sur le comptoir pour qu'elle me refile une dizaine de bières dans un sac de plastique. Illégal, bien sûr, mais pas pour le fils de ce prince ténébreux. Je cherchais quelques mots à la hauteur du malaise qui occupait chaque pouce cube du Palace, mais j'ai fini par croire qu'ils n'existaient pas. Pourtant, des mots, j'en connaissais tout un paquet et pour toutes les occasions, mais Victor possédait le secret de créer des situations où le vocabulaire se rétrécissait comme une peau de chagrin. Et puis, c'était pas à Luce que j'allais expliquer ce genre de cul-de-sac. N'était-ce pas son pain quotidien?

« C'est O.K. pour la bière, mais pas ici. Je t'attends dans le camion. »

Le ciel était dégagé. Une belle nuit d'été s'annonçait sans personne pour la célébrer. Toutes ces petites étoiles qui clignaient de l'œil dans un firmament impeccable n'amusaient plus qui que ce soit. Installé derrière le volant, je le voyais s'amuser, ce père absurde et clownesque, entouré de ses sbires amochés. Le pas tout de même solide, Victor m'a gratifié d'un sourire avant de grimacer.

« Ton *truck* ressemble à un fumoir. Devrais pas fumer autant, Marc. C'est mauvais pour ta santé. »

J'ai détourné le regard. Je ne voulais pas entendre ce qui venait d'être prononcé. Déjà que j'avais sous les yeux ce mauvais film qui tournait en boucle, je préférais mettre le son à *off* et passer à autre chose. Impossible de répliquer à ça.

« Il m'a pas manqué, le salaud…

— C'est qui?

— Laisse tomber, Marc. Honnêtement, t'es pas de taille.

— Parce que toi, tu l'es?

— Je paye pour mes coups de tête. Jamais demandé à personne d'essuyer les dégâts. Voyons, ti-gars, tu vas pas te mettre à l'envers rien que pour ça! C'est juste un lâche qui m'a pris par surprise. Hé, hé, je l'ai même pas vu venir! Le pire, ajouta-t-il en fouillant dans sa poche, il a cassé mes lunettes. »

Les verres étaient intacts, mais une des branches pendouillait.

« Tu sais, ai-je risqué, je pourrai pas toujours être là quand t'as besoin. Je serai pas toujours le pompier qui viendra éteindre les feux que tu t'amuses à allumer.

— Mais j'ai rien demandé, moi, Marc. Tu m'as entendu crier au secours ? Tu m'as vu grimper sur les toits pour crier ton nom ? »

Effectivement, il n'avait rien demandé. J'avais rien entendu qui pouvait ressembler à un S.O.S. et pourtant son écho me bourdonnait encore dans le crâne. Comme la nuit où je l'avais ramassé à quatre pattes au beau milieu de la rue. Ou encore cette fois où les flics l'avaient embarqué pour tapage nocturne. Aucun cri d'alarme.

Alors, de quoi je me mêlais ?

Une fois arrivé chez lui, j'ai mis les bières au frigo avant de jeter un coup d'œil à cette branche de lunettes. C'était pire que je l'avais imaginé. Tout aurait été plus simple s'il avait accepté de passer par la voie habituelle. Mais quel chemin devais-je traverser pour l'amener à accepter l'idée ? Quel obstacle devrais-je déjouer pour qu'il envisage de poser son cul sur la chaise d'un optométriste ?

Sur le moment, aucune solution potable ne se présentait. Les deux morceaux tenaient par un fil. Je devais les manipuler avec soin, sinon tout foutait le camp. Au bout du compte, je ne voyais que quelques tours de scotch pour régler l'affaire.

« … en attendant d'en acheter des nouvelles.

— Ça va être parfait comme ça. À mon âge, ti-gars, on dépense plus pour ce genre de choses. »

Quel âge au juste ? Il était vieux depuis toujours. J'avais aucun souvenir du jeune et solide gaillard qu'il avait dû être. Cette partie de ma propre histoire s'enrobait d'une brume épaisse et il m'arrivait de penser que c'était mieux comme ça.

« T'as quel âge au juste, Victor ?

— L'âge où les regrets sont inutiles. »

J'ai décapsulé deux bières en regardant, satisfait, le travail complété. Évidemment, l'aspect esthétique laissait à désirer mais, sur le plan de la solidité, je venais de réaliser un petit miracle. La mobilité de la branche ne souffrait d'aucun handicap, elle tournait sur son minuscule gond avec une étonnante efficacité. Victor allait jusqu'à jurer qu'elle était plus souple que l'autre.

« C'est du beau travail, Marc. »

Il a ouvert son *Larousse* et y a promené son index jauni par une longue dépendance au tabagisme. Quelques grimaces ont précédé un léger sourire qu'il étirait au rythme du va-et-vient de ses yeux plantés au-dessus d'une définition qui l'amusait.

« C'est parfait, mon fils. Je sais que c'est impossible, mais on dirait que je lis mieux depuis que tu les as réparées. »

C'est donc à cette bonne nouvelle qu'on a levé nos verres. Et tant qu'à nager dans les bonnes nouvelles, je lui ai parlé des travaux que je comptais réaliser sur ma maison déglinguée qu'il avait condamnée au pic des démolisseurs au premier coup d'œil. Ce qu'il ignorait, c'est que son verdict s'était transformé en un coup de fouet. Le défi allait être hautement relevé. Ce bunker des âmes en peine, comme il l'avait baptisé, brillerait de tous ses feux sous le soleil de Rivière-Sainte-Camille.

« Et les pilotis ?

— Ils font partie des projets. Je vais asseoir la maison sur une dalle de béton. »

Comment je m'y prendrais avec cette canne dans les pattes ? C'était un détail qui ne m'empêchait pas de rêver, et Victor ne s'en formalisait pas davantage. La magie de l'alcool ne tolérait aucune entrave aux projets les plus improbables.

« Une excellente nouvelle », proclama-t-il en levant sa bouteille.

J'aurais pu l'inonder de bonnes nouvelles : la santé de Karl, le roman de Marie, le retour de Francis, bientôt les premiers pas de Martin, qui avait ses yeux… N'avait-il vraiment que ce type appuyé sur une canne et échafaudant des projets absurdes à se mettre dans le cœur pour le chauffer ?

« On a le droit de s'amuser, Marc… On a le droit de rire… On a le droit d'être heureux, mon fils ! »

Je le regardais s'esclaffer en remarquant qu'il y avait un sacré bout de temps qu'un dentiste n'avait pas bricolé dans cette gueule-là.

« … on a le droit. »

Il éprouvait un peu plus de difficulté à rassembler ses idées qui, aussitôt sorties, déraillaient tous azimuts. J'estimais qu'avec encore une bière il aurait son compte et je ne me suis pas gêné pour la décapsuler et la lui planter sous le nez. Le fait est que je préférais le voir soûl mort chez lui plutôt qu'en train de fanfaronner dans les rues de Rivière-Sainte-Camille. Il avait beau être solide et éternellement inassouvi, je savais que, comme un boxeur à bout de forces, il s'effondrerait au moindre souffle. Une seule petite bière.

Trois cent quarante et un millilitres à 5 % d'alcool.

Knock-out technique !

La noirceur de la forêt nous gobait tout entiers, moi et mon pick-up aux phares qui ne projetaient qu'une faible lueur. Je misais sur ma connaissance des lieux pour avancer jusque sur ce terrain que j'avais soigneusement aménagé. Débroussailler, aplanir, ébrancher, épierrer. Je m'y étais usé les mains au sang et arraché le cœur. J'avais sué de tout mon être pour posséder cet espace.

La voiture de Marie n'y était pas et aucune lumière ne filtrait des fenêtres.

Avaient-ils seulement bouffé? À l'intérieur, aucune odeur ne me le laissait penser. Côté vin, ils ne s'étaient pas privés. J'ai jeté un coup d'œil à Karl qui dormait, comme effondré, sur le fauteuil du salon. Il était beau, Karl, quand il dormait. Il pouvait tout aussi bien ressembler à un mort qu'à un nouveau-né. Débarrassé des ennuis qui vous collent au corps jusqu'à vous souiller l'âme.

J'ai empoigné une bouteille qui contenait encore quelques lampées avant d'avancer d'un pas incertain vers ma chaise longue (ce fameux trône où souvent j'allais choir pour brasser tout un tas d'idées). Au-dessus, des étoiles tout plein. Aucune avec assez de cœur au ventre pour filer juste un peu. C'est à ce moment-là que j'ai remarqué la profondeur du silence. Le vent avait pris congé des arbres.

Et les oiseaux, ils foutaient quoi?

Le grand héron épiait-il les eaux même la nuit?

Faudrait poser la question à Marie

Autrefois, en amont, ça roucoulait.

Le murmure de l'eau roulant dans ses rapides venait jusque-là.

Huit

Je regardais des enfants entasser des branches sur la rive. Je n'avais aucune idée de ce qu'ils fabriquaient. Un fort assez solide pour repousser une flopée d'ennemis ? Un feu capable d'embraser la planète ? Un tipi ? Marie se rappellerait peut-être d'un moment, d'une aventure, d'un jeu où nous élaborions ce type de construction. Pour ça, il aurait fallu qu'elle se pointe.

Plus loin, un jongleur faisait virevolter quelques quilles sous le regard d'une grappe de spectateurs qui me semblaient trop avares d'applaudissements. La chaleur, sans doute. Plutôt que de nous rafraîchir, le vent nous cuisait, et c'était un miracle que ce saltimbanque persiste à pratiquer son art.

L'ombre dans cette section de la rivière Sainte-Camille était d'une rareté désarmante. Si quelques futés arrivaient à s'improviser des pare-soleil avec quelques bâtons et une couverture, c'était pour les voir aussitôt arrachés par le vent.

Du plus loin que je pouvais remonter dans ma mémoire, je n'avais jamais raté cette fête annuelle organisée par nulle autre que la ZEMCO qui profitait de l'occasion pour placarder tout ce qui pouvait l'être de pancartes, fanions et banderoles à son effigie. Même la bière, on la buvait dans des verres de carton portant le sigle de la compagnie.

Cette foire représentait pour moi le moment de toutes les premières. Cigarettes, baises, alcool, pot... La vie, quoi. Ça allait de soi que je m'y présente année après année. Je voyais ça comme une reconnaissance, une façon de souligner que c'était dans une atmosphère semblable que j'avais gravi les échelons de l'existence.

« Bienvenue aux compétitions annuelles de Rivière-Sainte-Camille ! »

Je m'étais pourtant installé loin des haut-parleurs mais, à cause du vent, c'était comme si j'étais assis dessous.

Deux jambes magnifiquement taillées se sont plantées devant moi. Les yeux plissés comme un bouddha enchanté, je les ai détaillées en me demandant à quand remontait le jour où j'avais eu le plaisir d'une rencontre semblable. Des chevilles délicates, j'ai glissé mon regard jusqu'aux mollets, puis aux cuisses, avant que mon plaisir s'arrête net comme si on venait de me balancer un seau d'eau sur la tête pour me sortir de mes rêves. Je venais de comprendre que j'étais aveuglé par l'effet de contre-jour.

« Excuse mon retard. Tu sais comment ça peut être chiant quand on cherche un stationnement. »

C'était Marie. Cette charpente agréable, je la connaissais depuis toujours. J'avais baigné dans les mêmes eaux, logé dans le même utérus, partagé la même tranquille gestation. Noirceur infinie et glouglou apaisant. Ces jambes-là ? Je les avais sans doute mordues, griffées, ligotées, frappées.

« Pourquoi tu ris ?

— Laisse tomber, j'ai répliqué en m'appuyant sur les coudes. Francis voulait pas venir ?

— Il travaille. Courtemanche l'a appelé juste avant qu'on parte. Maudite job de malade. Francis est incapable de dire non. C'est tout juste s'il se met pas à trembler quand l'autre lui téléphone. Une vraie mauviette.

— Faut pas lui en vouloir, Marie. Courtemanche est un fasciste. Tu lui résistes un peu et il t'indique la porte.

— Tu charries, Marc. J'ai déjà rencontré le bonhomme et si tu veux savoir le fond de ma pensée, avec un gars comme Francis, faut serrer la vis. Je sais de quoi je parle. Mais je pense qu'il devrait lui foutre la paix le samedi. »

Marie pouvait donner sa chemise pour que justice soit faite. Elle compatissait avec tous ceux que la famine faisait dépérir, ceux que le monde négligeait, les enfants pauvres, les femmes malmenées, les chômeurs et même les arbres, les oiseaux, les insectes… Mais ciel ! qu'elle pouvait faire montre de la plus dure des injustices envers certaines personnes.

« Je sais que t'es pas d'accord avec moi. »

J'ai haussé les épaules et lui ai pointé un peu plus loin des pierres de bonne taille habituellement submergées qui se chauffaient au soleil comme de gros ventres de cétacés agonisants. On aurait dit un bord de mer à marée basse.

« C'est absurde, se désolait-elle pendant que je lui piquais une cigarette. Et les nageurs vont traverser la rivière en aller-retour une dizaine de fois ? C'est ridicule ! Elle a perdu un tiers en largeur. »

Les compétitions restaient ce qu'il y avait de plus couru lors de cette journée. On venait d'un peu partout dans la région pour y assister. Tout le monde avait, bien sûr, remarqué l'état de la rivière, mais il semblait que personne n'avait envie de foutre en l'air le plaisir d'une journée pareille.

J'ai hélé un jeune gars qui trimbalait un chariot de bières fraîches. J'en ai pris deux pour que Marie se désaltère et ne me gâche pas la journée. Le plaisir étant une denrée rare, il fallait savoir sauter sur l'occasion sans toujours chercher la petite faille. On savait tous que rien n'était jamais parfait et qu'il ne fallait pas creuser bien loin pour mettre le doigt sur les emmerdements. Mais, d'un commun accord, on fermait les yeux juste pour quelques heures. Le temps de reprendre notre souffle.

J'aimais vraiment cette ambiance où les gens semblaient ragaillardis, comme habités par une envie de s'amuser. J'en ai fait part à Marie qui m'a regardé d'un œil vide.

« Faut se souvenir qui organise tout ça. L'oublier, c'est les encourager à continuer. La ZEMCO est une plaie pour les gens de cette ville. Faut jamais l'oublier. »

Avec Marie à mes côtés, je ne risquais pas de l'oublier très longtemps.

« Karl avait mieux à faire ? s'est-elle informée.

— Penses-tu ! Il est couché à l'heure où on se parle. Depuis que ça marche avec son docteur, on se voit plus. Quand il rentre, je dors, et quand je me lève, c'est lui qui ronfle.

— Il prend ses médicaments correctement ? Tu le surveilles, hein ? »

Rassurée, elle a sorti de son sac une nappe à carreaux qu'elle a étendue sur l'herbe. Ont suivi un sac de crudités, une baguette, un pâté de foie, une cuisse de poulet et deux canettes de jus de légumes.

« Je sais que j'en demande beaucoup, Marc. Mais il faut le talonner. »

Par-dessus les arbres, je voyais un cerf-volant rouge en forme de spermatozoïde géant qui se tortillait comme un désespéré dans le vent.

« Y en a pas eu beaucoup pour s'occuper de nous, Marc. La vie nous est rentrée dedans comme une tonne de briques. »

Il dessinait des courbes nerveuses dans le vide du ciel et je me disais que, à l'autre bout de la ficelle, le cerf-voliste devait faire preuve d'un sang-froid remarquable. Sinon, tout était foutu.

« C'est pour ça que j'ai du mal à te comprendre. Ces visites à notre père… Enfin, ça te regarde. »

Je préférais garder l'œil sur le spermatozoïde et ses tribulations. Je préférais fredonner cette vieille chanson qui rôdait comme une rumeur parmi les gens. Je préférais faire celui qui entend ce qu'il veut bien entendre et qui balance ce qui l'emmerde. Ça m'arrivait, quelquefois, cette envie de m'aérer la tête, de libérer mon esprit et de le mettre à l'abri des discussions qui ne menaient nulle part. Et j'en étais sans aucun doute la principale cause. Je n'avais qu'à ouvrir la bouche, m'expliquer, pour en finir avec cette histoire-là. Mais le problème se trouvait là : je n'avais rien à dire. Que je tourne la question, que je la retourne dans tous les sens, la décortique, la dissèque, je savais qu'on en resterait au même point.

« Tu regardes les filles ? s'est-elle étonnée.

— Bien sûr que je regarde les filles ! »

Il y en avait une dizaine qui s'amusaient avec un frisbee qu'elles faisaient planer de l'une à l'autre en sautillant, criant, riant. Leurs formes bien en évidence me procuraient un formidable moment de détente.

« Je suis contente que tu regardes les filles. C'est bon signe.

— Tu veux dire que je suis pas tout à fait mort ?

— Non, je constate que tu reviens à la vie. »

Juché sur une plateforme, un bonhomme équipé d'un revolver attendait, solennel, qu'une voix caverneuse nous invite à nous approcher pour applaudir les kayakistes en position.

« Faut ramasser tout ça en vitesse.

— Laisse tomber, c'est une vieille nappe. »

Forcément, dans l'obligation de traîner ma carcasse, on s'est retrouvés devant des estrades bondées de gens de tous âges qui souriaient d'une oreille à l'autre. En tant qu'adepte des journées ZEMCO, je savais que rien n'était perdu. Sur notre gauche, on pouvait emprunter un mince sentier qui débouchait sur un plateau où, à une époque, j'avais connu quelques expériences avec des filles qui semblaient s'être entendues pour ouvrir mes horizons. On est tout juste arrivés sur la rive au moment où le type a pointé son arme vers le ciel.

Droit devant nous, on avait le fil d'arrivée. On pouvait pas demander mieux. Et, au loin, on pouvait voir la ligne de départ. Une dizaine de kayaks prêts pour la course. Il y en avait de toutes les couleurs qui se miraient sur l'eau de la rivière qui s'était figée comme une nappe sans frisson. Aucune des embarcations ne bougeait. Elles se tenaient dans la plus totale immobilité. Comme ancrées, soudées à la Sainte-Camille. Comme chaque année, à ce moment précis, le silence devenait assourdissant. Les gens retenaient leur souffle, des enfants s'enfonçaient les doigts dans les oreilles et même le temps, il s'arrêtait.

Feu !

Au signal, dix pagaies ont crevé la surface sous les cris excités des partisans. On avait dans la mire le représentant de Rivière-Sainte-Camille et ça venait expliquer pourquoi Marie étreignait mon avant-bras à mesure que les embarcations avançaient. Je sentais ses ongles me labourer la chair. Les muscles bandés, les visages grimaçant, les kayakistes fendaient le film de l'eau, laissant derrière de larges sillons qui allaient mourir sur la rive. Certains poussaient des cris étouffés. Tous offraient, sous l'effort, une gueule déformée, secouée de grimaces. Le concurrent représentant Rivière-Sainte-Camille s'est laissé distancer au point où plus rien ne pouvait le tirer d'affaire.

« GO ! GO ! GO ! »

Des types hurlaient leurs encouragements, d'autres, leur déception. Les gars en sueur plantaient leurs pagaies et tiraient comme des forcenés pour gagner quelques points. La course s'est terminée par une victoire bien nette, laissant notre concurrent loin derrière.

On est revenus sur la grande place où tournait un carrousel.

Francis s'est joint à nous au milieu de l'après-midi, juste à temps pour goûter une des bières que je venais d'acheter. Il avait fait ce qu'il pouvait pour bâcler ce maudit plancher que Courtemanche voulait absolument voir installé.

« J'ai jamais travaillé aussi vite.

— La prochaine fois, envoie-le chier, a ajouté Marie avant de s'éclipser.

— Et comment on va faire pour vivre ?

— Bon, ça va, l'ai-je coupé. Pas question de me gâcher cette journée.

— Tu l'as entendue comme moi ! Elle rêve de plaquer son boulot, de se consacrer à l'écriture et à son fils... Comment on va vivre ? »

J'ai expliqué à Francis que Courtemanche, il fallait jamais le prendre de front et que, avec un peu de ruse, on arrivait à ses fins. Je savais de quoi je parlais, il m'était arrivé de si bien l'emberlificoter que le pauvre n'y avait vu que du feu.

« Tu peux lui raconter n'importe quoi, et si tu sais t'y prendre, tu vas avoir ce que tu veux.

— Je sais pas mentir, Marc.

— C'est bien ça qui va te perdre. Quant à Marie, elle traverse une mauvaise passe. »

Pouvais-je vraiment aborder le sujet des bizarreries de ma sœur avec Francis qui avait la réputation de ne jamais rien remarquer ? Pour lui dire quoi ? Que Marie jouait à cache-cache avec ses frères ? Qu'il y avait chez elle un petit quelque chose que j'arrivais pas à saisir ?

« T'as sûrement remarqué que Marie s'est radicalisée, je me suis risqué.

— Avec moi ?

— Laisse tomber. »

Je n'étais qu'à moitié surpris par ce mur qu'il portait comme un bouclier et qui le coupait des choses les plus banales.

« Rien à voir avec toi, c'est de Marie que je te parle. Je la trouve différente, ces temps-ci. As-tu remarqué une chose anormale ? Plus fatiguée que d'habitude ?

— Moins facile à supporter, ça, je peux te le dire. »

On a eu la surprise de la voir revenir avec, à son bras, Mado qui irradiait littéralement. Des gars se retournaient sur leur passage, et inutile d'ajouter que c'était pas pour regarder filer les nuages.

« Voyez un peu qui je viens de trouver ! »

Le coude de Francis m'est entré dans les côtes, et le sourire que m'envoyait Marie valait à lui seul une bonne demi-douzaine de discours sur la nécessité de ne pas pourrir dans la solitude. Quant à Mado, elle portait son fameux jeans et un t-shirt qui s'accommodait parfaitement de la canicule.

Sur un clin d'œil de Francis, on a étendu une couverture sur l'herbe pour que les filles s'y installent et j'ai suivi Marie jusqu'à un kiosque pour y acheter de la barbe à papa.

« Pas mal, comme hasard, tu trouves pas ? »

Je comprenais pas trop où elle voulait en venir avec ses sous-entendus. On n'avait jamais joué à ce petit jeu-là. J'avais vu passablement de gars lui passer dans les pattes et pas une fois je m'étais permis de jouer l'entremetteur. Même pas pour Francis. Ces choses-là devaient arriver d'elles-mêmes.

« Ça crève les yeux, Marc. Si tu tentes le coup avec Mado, je suis pas mal sûre que tu perdrais pas ton temps. C'est une fille bien, en plus. »

Je trouvais gênant cette façon qu'elle avait de me pousser une fille dans les bras. Jamais, depuis notre naissance, on ne s'était autorisés à se foutre le nez dans ces zones. On pouvait parler d'idées, de cœur, de peurs, d'angoisses, de voyages, de déceptions, mais jamais de cul. Jamais de ce qui pouvait nous animer à ce sujet, des fantasmes qui nous chauffaient la cervelle.

Pour bien concrétiser son intention, Marie a tiré Francis à l'écart afin que je reste seul avec Mado. Je sentais que j'allais multiplier les maladresses et qu'ainsi ma cause foncerait la tête la première vers la défaite. Je lui ai donc laissé la tâche d'alimenter une conversation qui partait de la météo aux exigences de son travail, en passant par les toussotements récents de sa voiture presque neuve.

J'ai fait celui qui se désole de ne rien connaître, côté bagnole, et je l'ai assurée que je me serais fait un plaisir de jeter un coup d'œil sous le capot dans le cas contraire.

D'un malaise à l'autre, on s'est retrouvés devant un stand où, pour quelques dollars, j'ai eu droit à trois essais pour mettre la main sur un toutou de peluche. Mado s'amusait de me voir rater la cible. L'argent me sortait des poches, mais je me suis entêté jusqu'à voir une des balles de soft-ball balancer les quilles.

« Hourra ! »

Je ne sais pas ce qui s'est passé. Ni comment c'est arrivé. Il y avait des gens partout. La musique planait au-dessus d'une foule en liesse. Des petites lumières multico-lores entouraient une piste envahie par des danseurs qui se défonçaient sur un rock'n'roll trafiqué.

Francis buvait. Marie considérait qu'il avait dépassé les bornes et qu'il se comportait comme un imbécile. Air connu. Il a vainement balbutié une réplique qui s'est per-due dans le brouhaha.

Elle a foutu le camp avec, sous le bras, mon trophée qui prenait la forme d'une tortue géante bleu et rose.

Il s'est planté les poings sur les hanches comme pour scruter l'horizon, mais il n'y avait pas d'horizon. Il n'y avait qu'un chapiteau avec un va-et-vient infernal. L'air grave, Francis a roté avant d'ajouter : « Ta sœur veut ma peau. »

« Ben voyons, Francis.

— Je sais ce que je dis. Jamais un petit compliment… Ta sœur passe son temps à guetter le moment où je vais me mettre les pieds dans les plats. Ensuite, c'est une longue suite de reproches.

— Tu devrais rentrer. Vous allez sûrement arriver à vous expliquer.

— Pff! Trop parfaite, ta sœur. Tout prendre sur mes épaules, c'est pas ça que j'appelle s'expliquer. »

Je cherchais un moyen d'éviter que Mado entende des choses négatives sur Marie. Que la débandade de Francis vienne entacher l'image qu'elle s'était peut-être fabriquée de ma sœur. Francis avait toujours su modérer ses plaintes et je souhaitais qu'il continue d'en faire autant. Mais je savais ce qu'il en coûtait de partager sa vie avec Marie et je ne pouvais sincèrement pas lui tenir rigueur de ce moment de lassitude.

« Si tu veux, je peux essayer de lui parler.

— Perds pas ton temps, mon chum.

— Je la connais bien, c'est ma sœur. Je peux au moins tenter le coup.

— Tu sais quoi? Elle a raison, Marie. Je lui arrive pas à la cheville. À côté d'elle, je ferai jamais le poids.»

J'ai fait un signe à Mado pour qu'elle attende, le temps que je me retire avec Francis pour le convaincre de sauter dans un taxi et de filer chez lui. Cinq minutes plus tard, je me suis pointé aux côtés de Mado qui a glissé sa main dans la mienne et on a regardé les pompons de feu éclater dans la nuit sous les oh! et les ah! de la foule, les yeux rivés vers le ciel.

Et puis les gens, la musique, l'alcool…

Bref, j'ai été totalement incapable de refaire mentalement le trajet qui m'avait mené de la fête annuelle de la ZEMCO au lit de Mado où j'ai ouvert les yeux.

D'une pièce voisine, j'entendais toute une série de bruits qui me laissait croire qu'on préparait le petit-déjeuner. Je reconnaissais l'odeur de Mado qui embaumait les draps. Miel légèrement anisé. Comment s'y prennent les filles pour dégager ces fins parfums qui vous tournent la tête? Cette question-là, je me l'étais souvent posée sans jamais mettre le doigt sur un semblant de réponse.

J'avais encore les yeux fermés quand elle est revenue s'asseoir au bord du lit pour me passer sa main toute fraîche dans le dos.

Si j'avais faim? Et comment!

«Mal à la tête?

— Non», je lui ai menti en avalant mon premier café.

J'aimais cette façon qu'elle avait de ne rien souligner de cette nuit qu'on venait de traverser. L'idée qu'elle pouvait avoir jugé ma performance pitoyable ne me traversait pas l'esprit. Je n'avais certainement pas battu des records.

D'ailleurs, j'ignorais même si on avait baisé. Je la voyais discrète et concentrée sur le moment sans entremêler les diverses facettes de l'existence.

Je cherchais une façon de faire dévier la conversation sur Marie dans l'espoir d'en apprendre un peu plus sur ce qui m'échappait. Mado connaissait peut-être ce secret que ma sœur s'amusait à entretenir. Entre filles, devant un café, ce besoin de se confier… Ce qui stoppait mon élan, c'était cette possibilité qu'une compagne de travail, une étrangère, en connaisse plus sur ma propre sœur que moi-même. Qu'elle m'apprenne sans ambages qu'on ne connaît jamais vraiment une personne et que les liens du sang n'ont rien à y voir. La chose me serait devenue insupportable. Un affront. Une trahison qui me pèserait sur le cœur jusqu'à mon dernier jour. Mon réconfort était cette certitude que je saurais, un jour, me montrer rusé comme une hyène affamée.

On s'est servi un autre café.

Ce matin-là, je m'en suis envoyé quatre.

Neuf

J'avais du mal à m'y faire. La trop grande et parfaite organisation de ma vie en solo devait y être pour quelque chose. Depuis quatre jours, je passais mes soirs (et surtout mes nuits) avec Mado. Moi qui me levais quand le cœur m'en disait, qui plongeais dans de longs épisodes de silence, qui bouffais quand mon ventre me faisait signe, je me retrouvais pendu au téléphone à discuter de rien avec une fille qui semblait en espérer beaucoup plus que ce que j'avais à lui offrir. Jusque-là, j'avais eu droit à une sortie au cinéma, à une soirée dans un bar, à un tête-à-tête au resto et je voyais pointer cette inévitable rencontre avec sa famille.

C'était une brave fille. Marie avait bien raison. Le problème se trouvait peut-être là. Une fille si brave qu'elle méritait ce qu'il y avait de mieux, la crème de la crème, de l'or en barre, un bon diable qui ne lésine pas sur les petites attentions. L'exact contraire de Marco, le fils de Vic. En tant que prix de consolation, je ne voyais pas pourquoi je devais investir plus qu'il n'en fallait dans un truc qui, forcément, allait faire long feu. Et puis, je craignais son regard sur les rapports tordus que j'entretenais avec mon soûlon de père, tout comme sur les ambiguïtés de ma relation avec Marie. Je craignais ce jour où la lumière jaillirait sur celui que j'étais et pousserait dans l'ombre celui que je m'efforçais d'être sans vraiment y parvenir.

J'étais un piètre amoureux.

Un égoïste. Un cachottier qui refusait qu'on aborde les sujets chauds. Celui de Marie en tête de liste. Ma sœur indélogeable. Qui m'avait bouffé le cœur. Empli la tête. Enfiévré chaque parcelle de mon corps. Vampirisé ma mémoire.

Je venais de signaler à Mado qu'il ne fallait pas compter sur ma présence pour la soirée. J'avais inventé un truc. Me souviens plus. L'indigestion, j'imagine… Un classique. Je savais être convaincant dans les moments que je considérais importants. Je venais d'apercevoir la bagnole de Marie stationnée devant un édifice à moitié abandonné, rue Principale. D'autres n'y auraient vu que pacotilles et enfantillages, mais je restais le seul juge de ce qui me taraudait ou pas. Le commun des mortels se serait contenté d'un haussement d'épaules, d'un froncement de sourcils, peut-être, avant de foncer tout droit vers ses urgences.

Chez moi, la notion d'urgence s'était évaporée.

Un poids lourd attendait à une intersection.

Une vieille dame traversait la rue.

Une musique emplissait l'espace, et il était impossible de savoir d'où elle venait.

De l'autre côté de la rue, un jeune garçon a parlé à la vieille.

Portée par le vent, la une d'un journal est montée jusqu'aux toits.

A hésité. Puis a disparu.

Le dépanneur de la rue Principale avait changé son enseigne qui, dorénavant, avait des néons.

Bleus.

Le vent tordait les rayons du soleil qui devenaient plus torrides.

Assassins, presque.

Un gars lavait ses fenêtres avec grand soin.

Une petite fille insistait pour que son père la prenne sur ses épaules.

Une femme pliée enfouissait la merde de son chien dans un sac de plastique.

Plus loin, des arbres cachaient les ruines d'une maison incendiée.

Tout près, une blonde s'inquiétait de la blancheur de son chandail.

Poussait du revers de sa main des saletés vues d'elle seule.

La cheminée de l'usine déchirait le ciel encore pâle.

Puis, la voiture de Marie.

Je maudissais ma radio qui m'avait lâché alors que je crevais, bien qu'à l'ombre, dans mon pick-up depuis plus d'une heure. La climatisation? C'était un diachylon sur les épaules d'un décapité! Je ne quittais pas cette bagnole des yeux, bien décidé à en avoir le cœur net. Je me trouvais con, bien sûr. Con et insignifiant. Et pourtant, même pour un million, j'aurais pas bougé d'un poil. Je connaissais parfaitement le coin. Pas de bureau de médecin dans les environs. Aucune épicerie. Le seul cinéma de Rivière-Sainte-Camille se trouvait à l'autre bout de la ville et j'imaginais mal ma Marie se taper les inepties qu'on y présentait. Alors, forcément... Je me trouvais à deux doigts de toucher le petit secret de ma sœur bien-aimée.

«Un problème? m'a demandé le flic qui venait de se garer tout près du pick-up.

— *Number one*, m'sieur!

— T'es sûr?

— Absolument. »

Je l'avais pressenti depuis le premier mot. Son sourire de téteux, son intonation d'apprenti facho, le genre qui saute sur la moindre occasion pour vous braquer son autorité sous les yeux, vous en aveugler sans se départir de son air de fendant. Il y a des dégaines qui ne mentent pas.

« On peut savoir pourquoi on reçoit des appels de gens qui s'inquiètent de voir un gars dans son camion depuis une heure ?

— Oh, c'est simplement parce que j'attends ma sœur.

— Depuis une heure ? »

Voilà, le salopard venait de me clouer le bec. Bien que réputé comme n'étant pas dépourvu d'imagination, je me suis senti coincé. Muet. Incapable de formuler une explication plausible. Sourire, surtout. Obéir au représentant de l'ordre. Rassurer les bonnes âmes.

« Papiers. Permis de conduire, assurances, enregistrements. »

Il y mettait la forme. Première moitié de la vingtaine, verres fumés. Il faisait son cinéma et souhaitait sans doute me faire trembler. J'en avais rien à foutre. La seule crainte qui me venait, c'était celle de voir Marie prendre le volant et filer.

« O.K., il a dit en me rendant ma paperasse. Dégage. »

Sans me départir de mon sourire niais qui se voulait un signe de pure innocence, j'ai mis la machine en marche. Plus loin, j'ai ri franchement en songeant à toutes ces fois où, ado, je m'étais vu dans la peau d'un détective privé épiant quelque délinquant. Démasquer les fornicateurs adultères. Piéger les fraudeurs véreux. Déjouer le malfaisant…

« Même pas capable de guetter ta sœur sans te retrouver avec un flic au cul. »

Sans me questionner plus longtemps, je me suis retrouvé parqué devant la demeure de Marie, avec un six-pack sur le siège du passager. C'était une mauvaise idée. J'avais suffisamment bu, mais c'était un de ces soirs où c'est jamais assez. Un soir de gouffre sans fond. Je n'entendais pas la rengaine de quelques criquets, et la nuit était d'un noir d'encre. Pas une seule étoile. Je me suis mis à rêver d'une pluie plus intense qu'un déluge.

Et puis, j'ai reconnu ce bruit caractéristique d'un moteur de voiture qui roule ses derniers kilomètres. J'ai regardé Marie se garer en sentant un grand courant d'air me traverser le ventre. Pas vraiment de la peur. Quelque chose de plus subtil.

Une fois sortie, Marie s'est avancée sur le trottoir. Sur un appel de phares, elle s'est amenée. Pas vraiment enchantée de me trouver là, dois-je le préciser...

«Mais qu'est-ce que tu fais là? Et soûl, en plus!»

Elle s'est pas fait prier pour s'installer dans le pick-up après avoir poussé les canettes vides sur le plancher.

«Y a un problème? C'est à cause de Mado? C'est Karl qui va pas bien?

— On se parle plus, Marie, ai-je balbutié. C'est pas correct, ça... C'était pas ça, l'entente...

— Ben non, Marc. Je suis un peu plus occupée que d'habitude.

— Ah, ça... J'avais remarqué, figure-toi. Mais c'est pas une raison pour tout effacer.

— T'es complètement soûl.

— Toujours poussée à l'exagération...

— Pourquoi tu te soûles la gueule? Pour changer le mal de place?

— Le mal, ma sœur, il change jamais de place. Il s'étend, envahit, prend possession de tout le territoire...

Donc non, ça change pas le mal de place. Je dirais plutôt que ça lui fait son lit et qu'il devient plus discret, le mal.

— Tu vas dormir sur mon fauteuil. Viens, on va rentrer. Je vais faire du café. Tu vas dégriser et demain on va discuter de tout ça.

— C'est soûl que je parle le mieux. Je pourrais même te réciter un poème. Une fable de La Fontaine ? *Anytime.*

— Viens prendre un café.

— Non. Par contre, si t'as une bière…

— Reste plus de bière…

— Menteuse.

— Bon, O.K., mais une seule bière et après, dodo.

— Pourquoi, Marie ? Pourquoi tu me caches des choses ?

— J'ai rien à cacher, Marc.

— Pourquoi tu rougis ? Ta voiture, garée sur la rue principale…

— Ma parole, tu me demandes de te rendre des comptes ! J'étais en réunion, si tu veux savoir.

— Y a plus que ça. Je le sens… Je le sais, Marie. Et c'est moche. C'était pas la règle…

— J'aime pas te voir soûl. Si on veut prendre soin de l'autre, faut d'abord prendre soin de soi-même. C'était ça la règle. Viens dormir un peu… Juste quelques heures. »

Dix

Je passais par là. Rien ne pressait. Rien, chez moi, ne m'incitait à rentrer.

Avoir tout mon temps, voilà mon calvaire. J'en connaissais des centaines et des milliers qui, passant leur existence à bout de souffle, auraient donné cher pour se retrouver dans mes bottines. «Ah, les heures de lecture! Ah, ces après-midi à la terrasse d'un café! Ces longs moments à flâner!» Cette fameuse herbe plus verte dans le jardin du voisin aveuglait souvent les autres au point de les empêcher de voir le chiendent dans le mien.

L'idée d'un petit tête-à-tête avec Francis me trottait dans l'esprit depuis quelque temps, mais je remettais le projet sans véritable raison. Outre le fait qu'il était revenu dans le clan familial, Francis restait ce gars sympathique avec qui j'avais passé de bons moments. Savait-il seulement que son retour me permettait de souffler? Qu'en son absence, c'est vers moi que se dirigeaient les angoisses de Marie? Tout comme son amertume et cette espèce de douleur que je la soupçonnais de cultiver pour étayer son activité littéraire.

Je l'ai vu s'avancer vers son camion, la ceinture de menuisier accrochée aux hanches. Il avait la démarche d'un type qui trimballe une enclume à chaque pied. J'avais suffisamment partagé cette existence pour comprendre qu'à certains moments la tâche ne se limitait pas à construire une maison. On devait aussi la porter sur nos épaules jusqu'au lendemain matin. Au diable les échardes, les cloques, les muscles claqués, les reins tordus, fallait garder en tête l'échéancier toujours trop serré que l'entrepreneur du moment se chargeait de nous planter sous le nez. Que de claques sur la gueule se sont perdues dans les limbes de nos rages mal digérées !

« Salut, Francis.

— Ouais, salut, Marc. Tu fais quoi dans le coin ?

— Je passais. »

Il m'a tendu son paquet de cigarettes pour que je me serve. Il fumait avec tant d'intensité que sa cigarette se consumait à vue d'œil. Sous sa casquette imbibée de sueur, j'apercevais une tignasse en broussaille.

« Je me demandais si tu viendrais prendre une bière…

— Ouais… Ouais, pourquoi pas. »

On a pris la route chacun de notre côté pour nous retrouver dans un parc désert qui longeait la rivière Sainte-Camille. On n'y voyait jamais personne, tellement ce coin faisait partie d'un quotidien qu'on ne remarque plus. Plus les années passaient, plus les gens perdaient de vue le décor de leur vie. C'était comme s'ils traversaient l'existence suspendus dans un espace sans lumière et sans ombre.

Je m'assoyais toujours sur la pierre où il était inscrit à la bombe aérosol « Paula suce » et qui fournissait une vue imprenable sur la rivière. J'arrivais presque à oublier qu'elle s'asséchait à vue d'œil.

Malgré les prouesses de son pick-up, Francis s'est pointé avec un bon cinq de minutes de retard.

« C'est le boulot qui te fatigue comme ça ? »

Cette simple question a semblé le troubler. Il a pris un moment avant de répondre. Il roulait les yeux, dodelinait de la tête et faisait une moue dégoûtée. Un ras-le-bol total qui ne savait pas par où sortir et encore moins quelle forme prendre. Francis regardait sa canette de bière, bien conscient que jamais un petit génie ne sortirait de là.

« Oui et non, Marc. C'est sûr qu'au chantier on se crève le cul. Et quand j'arrive à la maison, c'est pas pour me reposer, tu peux me croire. Je me retrouve avec Martin dans les bras pendant que je vois Marie sortir à toute vitesse. »

Il a calé ce qu'il lui restait de bière. Francis possédait des paluches à peine imaginables. Quand sa canette de bière se trouvait vidée, il l'écrasait du haut vers le bas avant d'utiliser ses paumes pour en faire une galette qu'il glissait dans la poche de sa veste.

« À part ça, ça s'arrange entre vous deux ?

— Faudrait que je puisse passer une couple d'heures avec elle pour le savoir !

— Oui, mais elle travaille. C'est pas évident pour elle…

— Tu sais comment elle est quand elle se prépare à sortir un roman… Depuis *Feu!* je me fais plus d'illusion. Tu te souviens de *Feu!* On est passé à ça d'une rupture définitive. Mais bon, c'est Marie et c'est pas à toi que je vais expliquer comment elle est. C'est le diable et le bon Dieu dans le même corps. Ça devient difficile à supporter.

— Ça va passer, vieux. Faut être patient.

— S'il y avait que son roman… Quand elle écrit pas, elle travaille, et quand elle fait ni l'un ni l'autre, elle est en réunion avec son fameux comité. Donc, la fatigue… Chose certaine, on s'éreinte pas d'avoir trop baisé. Je sais, Marc, t'aimes pas que je te parle de ça, mais c'est la vérité.

— Ça me regarde pas, ça, Francis.

— Ça fait quand même partie de la vie d'un couple… À moins que je me trompe.

J'aurais préféré que nous parlions d'un sujet moins délicat. Je n'aimais pas sa façon de se vider le cœur. Je recevais plutôt mal les reproches qu'on pouvait faire à Marie. Je savais bien qu'elle était loin de la perfection. Qu'elle méritait sans doute une bonne part des griefs formulés par Francis. Mais je n'y pouvais rien, et Francis le savait parfaitement.

À une époque, Francis représentait un moment de détente. Lui et moi, on venait régulièrement dans ce même parc pour picoler en douce. C'est là qu'on se reposait après les heures, souvent longues, passées sur un chantier. Les conversations étaient faites de quelques phrases éparses, entrecoupées d'un joint qu'on se passait, les yeux braqués sur la rivière. Le jour où il a posé le regard sur ma sœur, on aurait dit que la terre venait de trembler. C'était à peine si je reconnaissais le gars calme et serein que je fréquentais depuis des années. Il n'y avait plus que Marie dans chacune de ses phrases et on ne parlait plus de rien d'autre. J'aurais aimé, à ce moment-là, lui expliquer que Marie avait bousillé le cœur de chaque gars qui l'avait approchée. Qu'il fallait la manipuler avec soin. Comme de la dynamite. Mais il était trop tard.

« Non, mais ça rime à quoi, cette manifestation qu'ils organisent?

— Écoute, Francis, je suis pas trop au courant.

— Ben, mon vieux, tu peux te préparer, va y avoir de la casse si j'en juge par ce que j'entends. »

Des flics, des anars, de la pagaille, des gueules en sang, des poings levés. À côté de ça, la révolution de 1917 ressemblerait à un jeu d'enfant. La fatigue l'amenait, bien sûr, à exagérer. Il avait beau me jurer qu'il disait la vérité, que je verrais bien, une fois les deux pieds dans la merde, je rigolais, tellement ses propos étaient exagérés.

«T'as sûrement entendu parler de Lavergne? Gilles Lavergne. Non? Ça fait donc longtemps que t'as pas vu ta sœur! Elle a décidé de te le cacher? Si tu connais pas Lavergne, tu connais pas Dieu. Un militant professionnel, il paraît. Ce qu'il fait dans la vie? Il organise des manifs. Peux-tu croire ça? Pendant qu'il y en a qui s'éreintent à gagner leur vie, y a un gars qui gagne la sienne en foutant le bordel!»

ZEMCO International. La grenouille devenue plus grosse que le bœuf. Peu s'en formalisaient. Ce n'était qu'un monstre de plus qui étendait ses tentacules. Forcément, comme le miel attire les mouches, fallait pas imaginer que les altermondialistes allaient se croiser les bras devant une multinationale.

«Je veux bien croire, Marc, mais tu penses vraiment que de casser les vitrines à Rivière-Sainte-Camille va régler le problème?»

Dans la plainte de Francis, je devinais qu'il y avait plus que les aléas de la mondialisation. Ce Lavergne piétinait sans doute les platebandes qu'il avait un mal de chien à entretenir. J'imaginais aisément ma sœur parler du gars avec des étoiles dans les yeux. Alors que Francis pliait l'échine sous le poids de dures corvées, l'autre se présentait comme l'espoir fait homme. Les mains qui façonneraient le Monde Nouveau. Aucun menuisier, si fameux soit-il, ne pouvait rivaliser avec le sauveur du monde. Construire une maison pouvait être considéré comme un exploit, mais refaire le monde, c'était une autre histoire. Et comme Francis n'avait pas l'étoffe pour affronter ce genre de situations, je comprenais l'inquiétude qui le gagnait.

«Voilà ce qui arrive quand on confie un être cher au premier venu», me répétais-je.

Je ne pouvais quand même pas faire une enquête sur chaque prétendant et encore moins leur faire passer un test d'endurance. De toute évidence, Francis manquait sérieusement de cran pour se frotter à une femme de la trempe de Marie. Fallait jouer de finesse, épier sobrement, questionner sans déclencher la suspicion. J'aurais dû me douter au premier regard qu'avec sa bonne tête il lui manquait tout. J'aurais dû lui fournir une espèce de manuel d'instructions avant de le laisser approcher une machine telle que ma sœur.

J'étais du même sang et je voyais la nécessité de prendre la chose en main. La vérité, quand elle n'était pas donnée, fallait la débusquer, l'amadouer jusqu'à ce qu'elle nous mange dans la main. Et je ne croyais pas que Marie puisse lui cacher une quelconque idylle. Je la savais capable de faire face à ce genre de situations. Je l'avais vue tant et tant déballer son sac, et pas toujours pour exposer des perles. Alors, que Francis se fasse de la bile était une chose, mais qu'il ait les couilles assez solidement accrochées pour la confronter, c'en était une autre.

« Je sais à quoi tu penses, Francis. Ça te paraît évident comme le nez au milieu du visage. Et c'est là que tu te trompes. Je connais bien Marie et, tu peux me croire, si jamais il y avait un autre gars dans le portrait, tu serais le premier à le savoir. »

Il ne me croyait pas et, honnêtement, je n'aurais pas misé gros sur ce que je venais d'affirmer.

Onze

Je ne pouvais pas y échapper. C'était écrit dans le ciel. En lettres d'or, sans doute. Ou encore avec des néons flamboyants. Je l'ignorais puisque j'étais le seul à n'avoir rien lu.

« Ben voyons, Marc, je me disais. Ben voyons, mon pauvre vieux, c'est dans l'ordre des choses. Faut pas s'étonner… On finit tous par se faire avaler tout rond sans même voir venir le coup. »

Oh, je m'y attendais… Je savais bien qu'on ne peut pas toujours tout prendre sans jamais se retrouver dans l'obligation de donner en retour. Mais j'avais pensé retarder cette visite. C'était la quatrième fois que Mado abordait le sujet et elle commençait peut-être à croire, devant mes esquives, que j'avais un truc à cacher. J'aimais l'ombre, la plénitude et je ne craignais rien du silence. Aucune fille n'avait encore mis les pieds dans ma maison. Certaines s'étaient balancées totalement du fait que j'habitais retiré dans mon trou avec pour voisine une rivière pour apaiser mes tourments. Quelques-unes s'en étaient formalisées au point d'imaginer qu'elles avaient devant elles un cinglé qui devait traficoter quelques activités pas très propres.

Mado était d'une nature plus simple. Moins tordue que la moyenne et capable de comprendre qu'un gars de mon âge conserve quelques tics. Quand on fonce vers la quarantaine, on prend forcément quelques mauvais plis qui finissent par s'imprégner dans la chair. Mais ça, Mado le savait et s'en foutait. Cette fille-là avait le bonheur facile et le partageait avec une générosité peu commune. Ça me changeait, je dois bien l'avouer, de tout ce que j'avais touché jusque-là.

Et je devais remuer ce bordel. Un peu, quand même. Cette vaisselle toujours envahissante, les vêtements empilés, la poussière qui avait regagné ses droits depuis que Karl passait son temps avec son copain… Et les boîtes de Marie qui se trouvaient toujours là où elle les avait larguées et que je sentais prendre racine.

Quand j'ai entendu sa voiture rouler sur le gravier, j'étais plongé dans un livre de recettes à la recherche d'un poulet tandoori. J'adorais la cuisine indienne, la finesse des épices, la tendreté des viandes, mais je détestais devoir y mettre la main. J'avais, chaque fois, l'impression d'y laisser une portion de ma vie.

On s'est retrouvés sur le balcon à siroter une bière. Elle avait glissé sa main dans la mienne comme souvent elle le faisait. Chaque fois, j'avais l'impression qu'elle attendait que je l'amène quelque part.

Mado n'en finissait plus de s'ébahir de cette nature brute où je m'étais fait un devoir de ne rien changer ou presque. En partie par conviction, en partie par paresse. J'aimais me frotter aux paysages rudes et j'appréciais ne rien foutre. Silencieux, à m'emplir les yeux et les oreilles de tout ce qui survient dans la lenteur du temps sauvage. Je lui expliquais deux ou trois choses sur les environs pendant qu'elle regardait la montagne qui s'élevait derrière la maison. Devant son inquiétude d'y voir surgir une bête sauvage, je l'ai rassurée, sans toutefois lui cacher qu'au printemps dernier une famille d'ours avait rôdé dans le coin.

« Si l'eau est propre ? Ben sûr que l'eau est propre ! C'est l'eau de la Sainte-Camille ! Le problème, c'est qu'elle se fait rare. Mais, croix sur mon cœur, tu trouveras pas d'eau plus propre que celle-là. »

Je l'ai regardée s'avancer vers la rivière en enlevant son t-shirt, puis ses jeans, et disparaître dans l'eau avec une étonnante aisance. Je veux dire qu'elle semblait se fondre, se liquéfier, s'imprégner de chaque molécule. Et je me demandais si elle ne s'y prenait pas de la même façon pour se glisser dans la vie de ceux qu'elle aimait. Mais je n'étais pas d'humeur à bousiller ce moment de paix. Et j'étais plutôt satisfait de la tournure des événements. Moi qui ne rêvais plus de rien, je me retrouvais avec une fille presque nue qui se confondait avec la Sainte-Camille.

La présence de Mado n'avait rien de la lourdeur appréhendée. Aucune menace ne pointait son museau. Quant à ma solitude, je ne l'avais peut-être si souvent glorifiée que pour m'illusionner sur le fond des choses.

Enfin, je ne savais pas.

Je me réjouissais du moment sans en demander plus.

Dans l'après-midi, alors que Mado se séchait au soleil, une Alfa Romeo s'est garée derrière le pick-up. Mon frère en a surgi. Tout sourire et le regard clair. Je n'avais pas prévu cette arrivée-là. En fait, elle me dérangeait carrément. Qu'allait-il lui passer par la tête en voyant cette fille installée sur le quai ? Je le connaissais assez pour savoir qu'il n'était jamais à court d'imagination. Surtout que le minuscule slip de Mado pendouillait, encore humide, à la branche d'un bouleau. Jaune canari sur fond vert, on pouvait sans mal trouver mieux pour la discrétion. De sa place, une main en visière, elle a largement salué Karl.

« Mais c'est Mado, ça ?

— On peut rien te cacher.

— Y a quelque chose que je devrais savoir ?

— Non, pas vraiment. C'est pas un secret.

— Tu veux dire que toi et Mado… Eh ben ! J'ai rien contre, remarque.

— Manquerait plus que ça.

— Marie est au courant ?

— C'est elle qui a tout orchestré.

— Elle m'a rien dit… Je sors de chez elle… Faut dire qu'elle a l'air un peu perdue, ces temps-ci.

— Ben content que quelqu'un d'autre s'ouvre enfin les yeux. Ça fait des semaines que je le dis.

— Exagère pas, quand même. N'empêche qu'elle est bizarre.

— Tu penses à quoi ? Son roman ? Son travail ? Francis ?

— Si tu veux mon avis, Francis est un con.

— Si je devais pas compter sur ma canne pour me relever, je te mettrais mon pied au cul. Francis nous vaut tous autant qu'on est.

— Oh, du calme.

— On touche pas à Francis. C'est Marie qui m'intéresse.

— Ben, t'es mieux placé que moi pour en avoir le cœur net, il a fait en pointant du côté de Mado. Entre filles, des fois… Mado en sait peut-être plus que nous deux réunis. »

Cette idée-là me sciait rageusement. Je ne pouvais pas imaginer que ma sœur soit allée s'épancher sur une épaule étrangère pour se vider le cœur. Alors que j'étais là, fin prêt à l'aider, à lui porter secours, à devenir son complice s'il le fallait. Et ça, elle ne pouvait pas l'ignorer. Toutes nos vies s'étaient ancrées à cette certitude.

Une confession à une camarade de travail me paraissait déplacée. Inacceptable et outrageuse. La seule évocation de l'hypothèse me mettait hors de moi.

« C'est impossible, ai-je tranché.

— Ben, je vois pas pourquoi ! Ça sert à ça, les amies. Y a des choses qui s'avouent plus facilement à une amie qu'à son frère.

— Tu te fais des idées, je te dis. Si y en a un qui la connaît, c'est bien moi. »

Il avait décidé de ne pas désarmer.

« Mais tu reconnais qu'elle a quelque chose d'anormal. On s'inquiète sûrement pour une peccadille. Je mettrais ma main au feu que tout ça, c'est à cause de son maudit roman.

— Y a plus que ça, Karl. Je le sens.

— Ben moi, je pense que tu t'en fais pour rien. C'est son roman. Tu gagnes rien à te bourrer le crâne de choses impossibles. »

Devais-je lui expliquer qu'en ce bas monde tout restait possible ? Qu'on ne devait surtout pas miser sur l'impossible pour trouver une réponse à nos questions ? Que jamais, au grand jamais, fallait se mettre la tête sur le billot de peur de la voir rouler dans la minute qui suit ?

« Je viens me changer et je vais en profiter pour emporter quelques vêtements chez Luis.

— Tu t'installes chez lui ? »

Non, il ne s'installait pas chez le doc, mais sa façon de roucouler m'incitait à penser que j'allais perdre mon coloc sous peu. L'idée de retomber dans ma vie, avec ces choses qui ne bougeaient jamais, me plaisait assez.

Je regardais Mado prendre ses aises devant la Sainte-Camille, chauffées l'une comme l'autre par un soleil brûlant, et je me disais que j'allais tout de même vérifier. Cuisiner Mado tout doucement… L'amener à cracher ce satané morceau si jamais elle le tenait. Si moi, le jumeau, celui qui avait tout partagé, les pleurs comme les risettes, les joies comme les peines, les bons comme les mauvais coups… Si moi j'avais pas droit à la vérité, le monde pouvait bien basculer et s'éteindre.

Karl est réapparu, sapé comme un prince.

« T'aurais pas un peu d'argent à me passer ?

— J'aurais jamais pensé, un jour, qu'un gars sortant d'une Alfa Romeo m'emprunterait du fric.

— Ouais, c'est celle de Luis. Elle est pas mal, hein ? Tu veux l'essayer ? »

J'ai refusé net. Depuis que je m'étais cassé la gueule sur ma moto, je regardais les bolides un œil de travers. Des machines à tuer. Un revolver sur la tempe avec une détente nerveuse.

« Je veux bien t'avancer vingt piastres. J'ai dit *avancer*. Mais j'aimerais être certain que c'est pas pour les cochonneries habituelles. »

Il m'a juré que non, que son attaque lui avait ouvert les yeux et qu'il comprenait la valeur de la vie. « Fini la drogue ! » Toutes ces choses-là appartenaient au passé. La vie, c'était rien de moins qu'extraordinaire.

« Ex-tra-or-di-naire ! »

Je n'en croyais pas un seul mot. Je savais qu'il reprendrait ses habitudes. Je connaissais la bête pour m'y être tant et tant frotté. Il ne serait pas exagéré d'ajouter que j'en portais quelques marques. C'était comme un feu en lui. On pouvait s'imaginer qu'il était éteint mais moi, je sentais que quelques flammèches rôdaient. Qu'une fois les conditions réunies, on aurait droit à un fabuleux brasier. Tout ce qu'il me restait, c'était de souhaiter que ça surgisse le plus tard possible.

« Je lis dans tes pensées, mon frère. Et je sais que tu me crois pas.

— J'ai rien dit de semblable.

— Pas besoin, a-t-il ricané. Je te connais trop pour pas comprendre ce qui te passe par la tête. »

Il a mis ses verres fumés avant d'empoigner le volant et de s'effacer en soulevant un sérieux nuage de poussière.

« Là-bas !

— Buse à épaulettes. »

On a terminé l'après-midi à regarder le ciel. Mado formait des images avec les nuages qui défilaient. Elle ne manquait pas d'imagination. J'ai vu défiler des anges et des dragons.

Une canne à pêche paressait au bout du quai.

« Tu commences à avoir faim ?

— T'entends pas les ressorts qui s'étirent dans mon ventre ? »

Le poulet tandoori s'était transformé en poulet grillé. Le riz basmati, en frites. Le dal, en sauce BBQ. En se couchant, le soleil dessinait des ombres qui dansaient sur la surface de la Sainte-Camille.

« Quelle heure ? Merde, je travaille demain.

— T'es plus en état de conduire. »

On a ouvert une autre bouteille. La troisième.

« Dans quel état je vais être ?

— Malade. »

Le feu baissait et je l'alimentais avec une sorte de rage dans le geste. Comme si cette nuit-là ne devait pas s'arrêter. Mado brisait le silence par de longs épisodes sur sa vie, sur son histoire chargée qu'elle signait par un sourire en coin. Famille ordinaire, amours assassinées, espoirs rompus… La rengaine habituelle.

Air connu, psalmodié en rafales incontinentes.

Quant à moi, j'étais le fils de mon père. Je l'assumais comme on assume le sang qui nous bourre les veines, pompé par le cœur gros, aussitôt repoussé pour une autre cavale.

Je n'avais plus aucune envie de la questionner sur Marie. Pour la première fois de ma vie, ma sœur rejoignait le lot de ceux qui risquaient de ruiner mon existence. De brouiller le temps qui coulait sans vagues, sans remous, sans ces tournants toujours trop serrés. Susceptibles de nous arracher quelques morceaux au passage.

Ou bien Mado ne savait rien de ce qui chamboulait Marie, ou bien elle savait et je préférais encore l'ignorance. Je n'attendais rien de l'homme qui a vu l'homme qui a vu l'ours. C'est l'ours lui-même que je voulais affronter et, le cas échéant, de ses griffes que je voulais saigner.

Pour l'heure, il y avait des étoiles, une délicate brise et le slip de Mado accroché à sa branche comme un petit oiseau apeuré.

Douze

J'avais finalement fait la connaissance de la famille de Mado. Des gens bien, j'imagine. Un papa aimant qui trimait dur pour joindre les deux bouts. La maman parfaite qui s'occupait de ce qui risquait d'ébranler son nid. J'étais bien mal outillé pour jeter une appréciation valable sur la petite tribu. Un brin mal à l'aise, aussi. Les incertitudes quand vient le moment de changer de bagnole, les hausses hypothécaires, les projets de retraite... Voilà à peu près à quoi se résumait la vie de ces braves gens.

J'étais davantage habitué à ce qu'on me parle de fin du monde.

Bien entendu, il m'était impossible de remettre la politesse à Mado qui voulait faire la connaissance de mon père. Le lui présenter, ç'aurait été la plonger au cœur d'un mystère insoluble. Susciter une armada de questions auxquelles je n'avais pas l'ombre d'une réponse. Mais que pouvais-je inventer pour couper son élan? Le paternel parti en voyage? Trop occupé? Malade? Sénile? Je me voyais mal lui annoncer qu'il était soûl d'un soleil à l'autre et que, mis à part ses comparses, j'étais le seul à trouver un certain sens à son charabia.

« Ça me paraît précipité. Un peu plus tard, si tu veux bien. »

Elle a accepté en posant la tête sur mon épaule.

J'étais traqué. C'était une fausse acceptation. Trop rapide. Conciliante. Si je m'attendais à ce qu'elle remette ça, c'est que je ne connaissais personne qui ne luttait pas, ne serait-ce qu'un peu, devant un désir bafoué. Personne qui acceptait sans négocier de se voir refuser une demande. Personne.

Aussitôt mon refus formulé, on était déjà sur un autre sujet. Même pas le temps de me sentir comme l'empêcheur de tourner en rond. J'aurais bien pu m'en accommoder, m'arranger pour qu'on file en duo sur les voies toujours tranquilles qu'empruntait Mado.

J'en étais incapable.

On devait passer la soirée avec Marie et Francis. Pour le premier anniversaire de Martin qui ne marchait toujours pas. Mado jubilait, alors que moi, l'idée de passer toutes ces heures en face d'une cachottière m'agaçait. En plus, Francis avait une sale gueule depuis quelque temps. Il m'arrivait de le comprendre, tout comme il m'arrivait de considérer son attitude injuste envers Marie. Elle écrivait, et c'était pas rien. Un écrivain, ça ne pouvait pas toujours se balader avec un air bienheureux plaqué en plein visage. Passer le monde sous la loupe, le décortiquer, le désosser pour y trouver le nerf sensible devait valoir un minimum de compréhension, pour ne pas dire de respect. Depuis quand demandait-on aux écrivains de filer comme des fusées dans un firmament de plus en plus encombré? Le fait que Francis chaussait peut-être les godasses d'un vénérable cocu lui faisait mériter, par ailleurs, toute ma compassion. Mais cette hypothèse-là, je refusais de lui accorder trop de crédit. Pas question de la laisser faire son bonhomme de chemin et de me mettre dans tous mes états. Partager Marie avec Francis était une chose. Qu'il la considère comme sa femme, qu'il se voie accumuler les années à ses côtés, qu'il échafaude des projets fantastiques avec elle pouvait toujours passer. Mais qu'un autre salaud se pointe, ça dépassait les bornes.

Pour les autres, ça pouvait sembler bizarre. Déplacé, même.

« Tu l'aimes vraiment beaucoup ta sœur Marie, hein ? » m'avait glissé Mado au moment où je m'y attendais le moins.

Je voulais faire celui qui se fout bien de ce que peuvent penser les gens. Celui qui entend mener sa barque sans toujours devoir s'expliquer sur l'itinéraire. Mais c'était difficile. Vous ne mettez qu'un seul pied en dehors du chemin tracé et vous devenez suspect.

« Oui, bien sûr. Mais il serait plus juste d'appeler ça de l'admiration », lui ai-je répondu.

Je lui ai raconté qu'à l'époque où Marie rédigeait son premier roman, elle acceptait que je reste planté derrière elle, au-dessus de son épaule. Que je voyais apparaître les mots, les phrases, les paragraphes… Que j'avais assisté à la naissance de ses personnages, à leur évolution… Qu'il m'était même arrivé de faire des suggestions…

Tout était faux, bien entendu. Quand Marie écrivait, elle avait besoin de tout sauf d'une paire d'yeux au-dessus de son épaule. Il m'était arrivé déjà de la questionner, de tenter de me glisser entre son histoire et elle. De mettre mon grain de sel dans l'élaboration d'un personnage. Elle s'était fermée à double tour.

L'important, c'était que Mado y croie. C'était qu'elle n'aille pas se foutre tout un tas d'idées dans la tête sur les relations que j'entretenais avec Marie. Je ne voulais pas la perturber. Les gens sont si fragiles…

C'est avec un drap sur la tête retenu par une pince à linge sous le menton que Francis nous a ouvert la porte.

« Oh, je racontais une histoire à Martin. Une vieille femme qui aime les oiseaux. En tout cas… Entrez. »

Le jubilaire trônait, cul nu, au milieu de jouets de toutes les couleurs.

« T'as pas peur qu'il chie sur ses jouets ?

— Marie est allée acheter des couches, m'a-t-il informé. On n'en a plus. »

À quatre pattes, Mado amusait Martin sans se soucier d'offrir sa croupe en pâture. Ça me gênait et j'ai remarqué que Francis regardait ailleurs, histoire de m'épargner.

« Et entre vous, ça va mieux ?

— Ah, ça… »

Avec Francis, les réponses ne venaient jamais simplement. Fallait creuser un moment avant de toucher l'ombre de la vérité.

« Je veux pas être indiscret, mais si je me souviens bien, t'étais inquiet, non ?

— Sais pas trop… Je l'ai questionnée cent fois pour me faire dire que je m'inquiète pour rien. Mais je sais, tu peux me croire, je sais qu'elle est rongée par l'inquiétude. Je la retrouve souvent, en pleine nuit, les yeux ouverts. Elle qui a toujours dormi comme une bûche… C'est pas normal. »

Ne sachant plus sur quel pied danser, je me suis mis à imaginer tout un tas de possibilités. C'est là que l'idée qu'elle soit malade m'a effleuré. Plus qu'un gars qui débarque dans sa vie, qu'un roman qui flanche, la maladie devenait le drame ultime. Je me suis mis à penser à Ma Marie comme à quelqu'un qui a les deux pieds sur le seuil du trépas. Je n'y allais pas de main morte. Tant qu'à y être… J'ai imaginé un mal qui mord, déchire, avale le dernier souffle. Avec toutes les merdes qui rôdaient, tout restait possible. C'était bien ça qui m'assommait.

« Change-moi les idées, Francis.

— Hein? Quoi?

— Change-moi les idées. »

Savait à peine mettre un pied devant l'autre des fois, le Francis. Je voyais bien qu'il fallait faire quelque chose, agir, prendre le taureau par les cornes, mais je connaissais aussi les risques qui nous guettaient.

Marie est arrivée quelques secondes après que Martin eut noyé un lapin, une grenouille et un hochet dans une mare de pisse que Francis s'affairait à essuyer sans se départir de son sourire. C'est tout juste s'il ne félicitait pas son fils. D'une bonne humeur explosive, Marie s'exprimait dans un rire qui saccadait chacune de ses phrases. Je regardais tout autour afin de bien m'assurer que je n'étais pas plongé en plein délire. Le fait est qu'un tel débordement remontait à loin. Même pas de réprimande envers Francis qui avait oublié de nous offrir à boire. Ça me rassurait sur son état de santé. Du moins, un peu.

Les filles se sont retirées pour discuter de Dieu sait quoi. J'avais beau tendre l'oreille mais, avec Francis qui n'avait de cesse de me parler de la prochaine bagnole qu'il avait en tête, c'était impossible d'entendre quoi que ce soit.

« Tu m'écoutes un peu quand je parle?

— T'as pensé à la santé de ma sœur?

— Je te parle d'une aubaine… Une Toyota presque neuve, presque donnée, et tu m'arrives avec la santé de Marie!

— Faut pas se tourner les pouces, Francis. T'es inquiet? Faut trouver ce qui va pas et ne rien négliger. Faut se poser les bonnes questions si on veut obtenir les bonnes réponses.

— Ben, elle voit son médecin régulièrement… Semble pas plus mal que ça… »

Il n'y avait rien à tirer de ce gars-là. Si Marie s'était mise à baiser à gauche et à droite ou, pire, si elle s'était amourachée d'un type plus éveillé que la moyenne, j'en avais sans doute la cause sous les yeux. Pendant qu'une femme formidable, belle comme cent Mona Lisa, brillante comme mille étoiles partageait son temps avec lui, il s'émouvait de la faible consommation d'essence de son futur achat. Plutôt que de l'aimer comme il m'était interdit de le faire, ce triste con zieutait un tas de ferraille à bas prix.

Je désespérais d'un jour arriver à renouer les fils.

Un bouchon a sauté.

« Un p'tit vin portugais pas piqué des vers. »

On en a sifflé quatre comme ça. Je n'avais jamais vu Mado avoir le vin aussi guilleret. Elle parlait trop fort, et son rire inquiétait Martin. À la surprise générale, je m'étais attribué le rôle du conducteur désigné pour ramener Miss Mado à bon port. L'alcool rentrait mal. De travers. Je les regardais s'envoyer des petits trucs avec une purée de homard dessus et une câpre en guise de cerise sur le sundae. Même ça, je devais faire un effort pour en bouffer. Les autres roulaient des yeux en y allant de longs Mmm! Je les imitais, bien sûr, pour ne décevoir personne. Je grignotais et lapais mon vin en douce. Je craignais que Francis reparte sur ses envolées mécaniques et surtout que Marie lui inflige une remarque assassine comme elle en avait le secret.

« Ça va, Marc? Tu touches à peine à ton verre! T'aimes pas le vin?

— Non, tout est parfait, l'ai-je rassurée. C'est juste que je veux boire modérément.

— C'est nouveau, ça? Je t'ai jamais vu tremper les lèvres dans un verre.

— Sans dire que tu bois trop, ajoutait Francis, je t'ai jamais vu lever le nez sur le vin. »

Comme ils étaient sur mon cas et que ça risquait de s'étirer, je me suis lancé sur le seul sujet qui m'est venu à l'esprit.

« Et puis, Marie, c'est pour quand cette fameuse manif? Faudra nous prévenir si tu veux qu'on soit prêts au moment où le monde va se transformer.

— Tu peux toujours faire le comique, Marc. Mais je peux vous garantir que vous allez vous en souvenir. On va mettre Rivière-Sainte-Camille sur la mappe.

— On peut faire quelque chose pour aider? a demandé Mado.

— Votre présence. Soyez-y. C'est encore la meilleure façon d'en faire un succès.

— Et c'est à quelle date?

— Bientôt. »

Je savais que j'en apprendrais pas plus. Ses réponses étaient trop courtes, trop récitées, sans ce jus qui vous donne envie de creuser la question. Nous n'y verrions clair qu'une fois le nez planté dans la chose et, donc, sans possibilité de reculer. Francis se curait les ongles avec l'air de dire : perdez pas votre temps, les amis, vous ne saurez que ce qu'elle a décidé que vous pouvez savoir.

« Et si on allait se chercher un film? »

La proposition a emballé tout le monde.

« On pourrait marcher un peu... Le club vidéo est à une trentaine de minutes.

— Bonne idée!

— Ouais, mais Martin est déjà couché. »

Je me suis offert pour être de garde. Ça dardait du côté de ma jambe, et le moment était mal choisi pour en rajouter. Et puis, ce brin de solitude allait me permettre de respirer un peu.

« Bon, c'est comme tu veux. Les couches sont ici, les débarbouillettes, juste là. La poudre pour bébé... Ça m'étonnerait qu'il se réveille mais on sait jamais. Si jamais ça arrive, t'as juste à le bercer en lui fredonnant *Frère Jacques*. Au pire, appelle-moi. »

Une fois seul, je suis allé fumer une cigarette sur le balcon tout en gardant une oreille tendue vers les éventuelles plaintes de Martin. La nuit promenait un air à peine rafraîchi, mais que j'accueillais avec soulagement. Je n'étais pas du genre à me laisser trimballer les humeurs au gré des aléas météorologiques, mais je devais bien reconnaître que cette suite de matins poisseux, d'après-midi assommants et de nuits sans répit m'avait accablé. J'avais la chemise collée au dos et le front humide.

Gros dodo pour Martin. Je suis resté un moment à le regarder, à le dévisager et à lui chercher quelques hypothétiques ressemblances. Rien à faire, j'étais pas doué pour dénicher la moindre filiation. Je ne voyais qu'un front plus ou moins bombé, des joues généreuses, une arachide en guise de nez, un menton tout rond. Rien de suffisamment développé pour tenter de faire un lien, même lointain. Sauf pour les yeux, bien sûr. Ceux de Victor, ce grand-père loqueteux qu'il ne connaîtrait jamais. Curieusement, il me manquait. Ce jeu du chat et de la souris me donnait envie de me retrouver en face de ce bonhomme mal dégrossi mais incapable de faire joujou avec la réalité. Toujours, j'avais pensé que Marie avait hérité de son courage, de sa capacité à aller au front, à affronter l'existence à mains nues. J'en doutais dorénavant.

Dans mon dos se trouvait une petite pièce sans fenêtre. Le bureau de Marie, étroit et étouffant. C'était là où elle cogitait, écrivait, creusait les entrailles d'un monde toujours trop sombre, pour s'en créer un autre tout neuf, à sa mesure. Un monde capable d'accueillir la stature de ses rêves. J'ai dû lutter contre l'envie de plonger dans ses secrets les plus chers et je me suis senti moche de ce désir de trahison. Y céder, ç'aurait été rayer d'un coup toute la complicité développée au fil des ans.

Où cache-t-on une lettre d'amour? Ou encore un dossier médical accablant? Entre les pages de quel livre enfouit-on ses confidences? Je promenais mon doigt sur un rayon de sa bibliothèque en me demandant qui, d'Olivier Rolin, de Charles d'Ambrosio, de Sollers, de Djian, de Houellebecq, de Don DeLillo, de Ducharme, représentait la meilleure planque pour y enfouir ce truc qu'on veut garder pour soi. C'était con. Ma sœur, ma jumelle, ne foutrait jamais des bouts de papiers entre les pages d'un livre.

Sur sa table, des feuilles pêle-mêle avec des citations, des paragraphes qui, imaginais-je, se retrouveraient dans son prochain roman.

«L'eau est à la rivière ce que le sang est à la veine.»

J'aimais cette phrase qui me rappelait que Marie donnait souvent aux mots le ton tranchant du slogan sans la hargne et les raccourcis. Sous mes yeux, un fouillis total comme un babillard éclaté. «Remplacer Mado à midi.» «Voir Karl.» «Ouvrir la porte du Gîte.» «Sud-est.» Quelques numéros de téléphone. Un dessin sommaire avec des flèches. «Le plus à l'est possible.» Je n'y comprenais rien. Marie avait toujours mal dessiné. Même enfant, ses esquisses arrivaient à peine à suggérer une image.

Martin geignait doucement et je souhaitais de tout mon être qu'il en reste là. Qu'il m'épargne ces crises dont il était capable et devant lesquelles je ne savais que baisser les bras.

Treize

C'est de la bouche même de Marie que tout s'est confirmé.

«Ça va brasser, Marc…»

«Dans une semaine…»

«Ça va brasser!»

Je ne savais pas par quel bout la prendre. Le fait est qu'il lui était souvent arrivé d'annoncer gros pour finir par étaler une paire de deux. Dans ce cas-ci, la donne semblait différente. Sérieuse comme un pape. Le regard acéré. Chaque mot portait l'empreinte de sa morsure. Jamais Rivière-Sainte-Camille n'aurait vu une telle manif. Ça faisait des mois que ses copains et elle y travaillaient. «Marquer l'histoire. Imposer notre agenda. Sensibiliser les consciences. Mettre fin aux situations dégradantes…»

«Ton roman, Marie… Tu y penses des fois?

— J'ai besoin de ça pour écrire. J'ai besoin de vivre.»

Le nom de ce type, ce Lavergne, me brûlait les lèvres. Peut-être le sentait-elle. Son empressement à changer de sujet m'a incité à le croire. Je sentais que le danger se trouvait quelque part dans ce coin-là. Lui, Lavergne, ou cette manif, ou un mélange des deux. Et elle appelait ça vivre. Passer sa vie à bout de souffle, au pas de course entre le *delicatessen*, la littérature, son fils et cette activité militante qui allait finir par la bouffer tout entière.

Je mourais d'envie de lui conseiller de retourner à son roman. C'était ça, son vrai boulot, enfin, une fois terminé son esclavage quotidien. Qu'elle y plonge sérieusement, qu'elle souligne, biffe, recommence. Qu'elle témoigne d'émotions indicibles, qu'elle narre l'inénarrable, qu'elle grappille au hasard, dissèque, fouille dans sa mémoire... Qu'elle traque la substance du moment... Qu'elle invente et qu'elle mente au besoin.

« On est tous un peu pute à nos heures et on n'a pas besoin d'en rougir », me disais-je.

« Et Francis est dans le secret ? » me suis-je informé.

Elle a pouffé.

Ça me désolait, tout ça. Cette espèce d'entente de principe qui semblait les souder l'un à l'autre comme un contrat moral et triste. Francis l'aimait, j'aurais pu mettre ma main au feu. C'est dans ses yeux que je le voyais, dans l'inquiétude qui les assombrissait quand il la regardait. Cette peur de la perdre pour de bon le rendait carrément malade. Quant à ma sœur, elle ne faisait même plus semblant de s'intéresser à lui. Elle lui piquait sa vie sans en ressentir le moindre remords. C'était insupportable. Ça faisait mal à voir. Vraiment moche. Que Marie, ma sœur, s'amuse à vider de son sang ce pauvre type me faisait carrément chier.

« On est juste tous les trois. »

C'était ça qu'elle voulait dire, toutes ces fois où elle nous répétait cette phrase. Pas de place pour personne d'autre. Les Francis de ce monde n'avaient qu'à bien se le rentrer dans le crâne. À prendre ou à laisser. « Juste tous les trois. Marie, Karl et Marc. » Contre tout le reste.

« Cette fille-là est folle », pensais-je de plus en plus souvent. « Folle à lier. »

« Mado vient pas avec nous ?

— Non. Elle travaille.

— C'est pas plutôt que tu voulais pas qu'elle voie ça ?

— C'est quoi, *ça* ?

— Nous, la famille. Karl et son amoureux. Nous devant l'autre famille, celle de Luis. »

La famille. Elle me faisait rire, ma sœur. Nous n'avions rien d'une famille. On ressemblait davantage à des passagers sur le quai d'une gare qui se demandent quelle direction prendre.

« Mado travaille. Tu devrais le savoir. »

Et c'était bien comme ça. Pas envie de la mêler à cette smala qui grinçait de partout.

« Il fait quoi, Karl ? s'impatientait-elle.

— … devrait pas tarder. »

Il se pomponnait. Se regardait sous toutes les coutures, se sniffait les aisselles. Chassait les petites poussières collées à son pantalon tout neuf. Surveillait la pureté de son slip. Contre toute attente, notre frère était bel et bien amoureux de ce médecin qui habitait dans les hauteurs de Rivière-Sainte-Camille. Je préférais ça aux multiples fredaines qui jalonnaient son existence et d'où il sortait un peu plus amoché d'une fois à l'autre.

J'avais passé l'après-midi avec Karl qui n'avait de cesse de m'entretenir de Luis. « Beau comme un dieu, d'une intelligence supérieure, sympathique comme deux. Collectionne l'art contemporain, s'intéresse à la politique internationale, donne des conférences dans de grandes universités. Un homme superbe ! »

Je trouvais la chose à peine possible. Karl, mon frère, que jusque-là j'avais considéré comme une girouette insaisissable, du genre à sauter sur chaque occasion avec l'avidité d'un ogre, devenait sous mes yeux un homme capable d'aimer, de s'abandonner, de s'oublier !

Je ne connaissais pas ce Karl-là. Voilà ce que je pensais. J'avais souvent désespéré de sa déconcertante superficialité, de ses grands airs empruntés devant les gars qu'il convoitait comme des trophées... J'avais souvent cru entendre ses pensées, tellement il me semblait prévisible dans chacune de ses démarches.

J'avais stupidement fait fausse route. Je l'avais classé dans les affaires sans importance, les quantités négligeables, et il se révélait à l'exact opposé de mes préjugés.

Alors que je me croyais dans l'obligation de partager mon temps avec une diva capricieuse, j'avais devant moi un gars affable, discret et même capable de concessions. Pendant les jours que nous avons partagés, j'ai bouffé des trucs fantastiques sans même devoir toucher à une seule casserole et j'aurais défié qui que ce soit de mettre le doigt sur une poussière. Il se souciait de son alimentation et je n'avais pas à gérer la pharmacopée. Bien sûr, il picolait sans doute un peu plus qu'il ne le devait, mais j'aurais été mal avisé de lui en faire le reproche. Je laissais à Marie le soin de veiller sur ce point, ce qu'elle faisait avec un zèle qui créait entre Karl et moi une complicité jusque-là inexistante.

Bref, son enthousiasme m'éberluait.

«Faut fêter ça, frérot», je lui ai lancé en lui proposant un verre.

Il préférait passer son tour, garder toute sa tête pour la réception qu'il voulait passer «avec ceux que j'aime». C'est comme ça qu'il disait: ceux que j'aime. J'ai souhaité, à cet instant précis, que quelqu'un vienne me pincer en me criant dans le tuyau de l'oreille que je ne rêvais pas.

Même la musique, il ne semblait pas l'entendre. Aucune de ses mains, aucun de ses pieds ne battait la mesure. Depuis toujours, je veillais à la culture musicale de mon frère. Conscient que la musique nous suit où qu'on aille, je lui avais appris à faire la différence entre l'alcool frelaté et l'élixir. Qu'il sache qu'un *riff* de Keith Richards peut devenir l'indéfectible ami qui jamais ne lui fera défaut.

Heureux de nous en mettre plein la gueule, Karl s'est avancé, tout sourire. J'ai bien reconnu cette chemise que je m'étais payée à gros prix, mais le moment me paraissait mal choisi pour lui reprocher de me l'avoir empruntée. Je n'avais jamais vu mon frère habillé ainsi. Je me sentais pressé de le voir en compagnie de ce Luis qui lui avait planté des étoiles dans la tête. Restait plus que Francis en finisse avec ces couches qu'il changeait au fur et à mesure que Martin s'appliquait à les remplir. J'ai remarqué que, du côté de Marie, le temps s'ennuageait. Je pouvais presque voir une barre lui traverser le front. Petite moue au bout des lèvres et le regard vaguement éteint. Je me doutais bien que la perspective d'aller festoyer au bord du Lac-aux-Lièvres la contrariait. Elle l'avait sur le cœur, ce lac qui n'était que l'envers de la médaille d'une rivière presque asséchée.

«Peut-être qu'il y a des moments où on peut mettre ses convictions de côté pour profiter du bon temps qui se présente?»

Elle s'est contentée de hausser les épaules.

Une trentaine de minutes nous séparaient de la résidence de Luis. La route filait dans la montagne. Je roulais trop lentement au dire de mon frère, mais j'aimais le voir tendu, impatient comme un ado pressé de retrouver sa dulcinée. Martin pleurait à s'en cracher les poumons malgré les caresses maternelles que lui prodiguait

Marie, et Francis s'ébahissait de grimper tout en haut de Rivière-Sainte-Camille.

« C'est la première fois que je monte jusqu'ici, s'étonnait-il. Vous êtes déjà passés par ici, vous autres ?

— Pour y faire quoi ? a tranché Marie. Tous les terrains qui bordent le lac sont des propriétés privées. C'est même impossible de voir le lac de la route.

— Dans le temps, on pouvait s'y rendre par le bois », ai-je dit pour apaiser ce qui, à mes yeux, risquait de s'envenimer.

Marie ne désarmait pas.

« Tu m'imagines faire de l'escalade ? En plus de nous voler notre eau, ils nous empêchent d'en profiter. »

Il y avait du plomb dans le silence qui s'installait.

« Bon, les amis, dit Karl, j'aimerais bien qu'on cesse de parler de ce sujet-là. Et surtout, j'espère que vous allez savoir vous retenir devant Luis. »

Le fameux Luis habitait une superbe maison plantée au milieu d'un terrain judicieusement garni d'arbres matures qui donnaient à l'ensemble un petit côté cinématographique, genre de décor qui n'attend que l'action avec des bons, des méchants, des filles moulées dans des robes rutilantes, huileuses et chargées de suggestives idées.

« Moi, je dirais une maison de gangster. »

Francis ne manquait jamais d'idées.

Un chihuahua bruyant complétait l'ensemble. Nerveux et tremblotant, il s'intéressait exagérément à mes chaussures qui, à mes yeux, n'avaient vraiment rien pour susciter un tel intérêt. Je cherchais Karl, alors que Marie regardait le bout de ses pieds.

« C'est le genre de bestioles qui me donne envie de pratiquer mon botté de footballeur.

— Ta gueule, Francis. C'est pas le moment de faire le clown. J'ai juré sur la tête de ton fils que je veillerais personnellement à ce que tout se passe bien.

— Non, mais, quand on veut un chien, tu peux m'expliquer pourquoi on achète une souris?

— Change de sujet, Francis. Regarde-moi plutôt cette pelouse… C'est clair, ils doivent l'inonder de l'eau qui manque à la rivière Sainte-Camille.»

Je me demandais si Marie se passait la même réflexion. Sans doute. C'était le genre de détails qui ne lui échappaient pas. Ça, et les arbres, et les maisons, et les bagnoles, et les gens, et leurs vêtements et leurs gueules… On avait longtemps baigné dans la même eau, elle et moi. On y avait mariné tant et tant que l'indécence de ce qui se déployait sous nos yeux n'arriverait jamais à nous aveugler.

Elle était déjà là-bas, échappant aux inévitables présentations où il fallait sourire et tendre la main. Avec Francis sur les talons, je me suis dirigé vers un saule géant sous lequel s'amusaient une vingtaine de personnes à la mine réjouie, le verre à la main et le regard avenant.

«T'as vu ça, m'a glissé Francis, y a que des gars! Marie est la seule femme!

— Ça t'étonne? On se trouve chez l'amant de Karl, Francis. Tu t'attendais à quoi? Qu'une équipe de *cheerleaders* t'accueille?»

De fait, il y avait que des types de toutes catégories dont certains capables de vous enfoncer les pires préjugés dans la gorge et d'autres, plus costauds, de vous les faire recracher aussitôt.

«J'espère que tu misais pas sur l'occasion pour trouver l'âme sœur», s'est-il cru obligé de préciser.

Je me demandais à quoi s'amusait Francis, pourquoi il montait le moindre accroc en épingle, au risque de tout bousiller. Comme je m'apprêtais à lui répéter de fermer sa gueule une fois pour toutes, j'ai remarqué une flamboyante rousse cachée derrière le saule. Le teint pâle, une jupe minuscule et des jambes à faire rêver. Sous les rayons du soleil, sa crinière ressemblait à un feu de brousse.

«Tu vois, ai-je ajouté, faut jamais désespérer.»

Quant à Luis, il semblait être un bon gars. Une franche poignée de main, la voix ferme d'un homme qui en a vu d'autres, et doté d'une amabilité à toute épreuve. Bref, un gars en bon terme avec la vie. Après nous avoir salués à tour de rôle, il s'est retrouvé avec Martin dans les bras, multipliant les guili-guili et félicitant Marie et Francis d'avoir un aussi beau bébé.

Karl ne nous avait pas habitués à ce genre de relations. Auparavant, il s'était entouré de types avec la conscience plus ou moins tranquille ou de putes de qui il lui était arrivé de s'enticher. Toujours un peu victime, toujours un peu coupable, il était difficile à saisir. Le plus souvent, il nous glissait entre les doigts. Je pouvais toujours mettre la transformation sur le compte de sa défaillance cardiaque, mais mon expérience me commandait de garder l'œil ouvert, soupçonnant un coup fourré dont les conséquences ne devraient pas tarder à surgir.

En glisser un mot à Marie, c'était une déclaration de guerre. Se tourner vers Francis, c'était me heurter à son cynisme. Valait mieux garder mes inquiétudes pour moi et chasser ce mauvais esprit qui m'entraînait vers le versant le plus marécageux de la vie.

La rousse s'appelait Line et se présentait comme la sœur de Luis. «Pas vraiment sa sœur. Mais une amie si importante qu'il me considère comme telle.» J'ai lancé un sourire à Luis qui roulait de grands yeux presque humides.

Je ne comprenais pas vraiment ce que je foutais dans ce décor où le soleil ragaillardissait tout un chacun. C'était le genre de réception où la beauté, «la vraie de vraie», se retrouvait dans le cœur de chacun et où la fraternité attendait qu'on lui ouvre les bras. Je fuyais généralement ces trucs où je ne trouvais jamais rien à quoi m'accrocher. *Étranger* serait le mot le mieux choisi. Ni mieux, ni pire, ni supérieur, ni inférieur... Tout juste un gars qui habite sur une autre île où les ponts sont rares et fragiles.

Mais cette petite rencontre se faisait en l'honneur de mon frère et de l'amour naissant, et je m'envoyais des vins d'une saveur exquise. J'éprouvais le sentiment de vivre sans témoin, sans qu'on me remarque ou qu'on s'intéresse à mes histoires. Transparent comme une pellicule de cellophane et, d'une certaine façon, c'était appréciable.

Je me sentais un peu étourdi sous le soleil qui ne manquait pas d'aplomb. Chaque tache d'ombre se voyait envahie par une poignée d'invités autour desquels papillonnait l'inévitable rouquine qui, ma foi, me lançait quelques regards que je risquais d'interpréter comme autant d'invitations.

Sans trop comprendre comment, je me suis retrouvé en train de parler avec un gars. Un type un peu trop âgé pour se balader avec un anneau dans l'oreille et des cheveux d'une blondeur aveuglante.

M'avait-il déjà rencontré quelque part?

«Je crois pas, non.

— Pourtant... J'ai une bonne mémoire.

— Moi aussi.»

Plus loin, il y avait Marie qui veillait sur Martin qui se baladait à quatre pattes dans l'herbe. Le chihuahua qui venait de se faire un copain poussait l'amitié jusqu'à vouloir grimper ce pauvre Martin qui riait à s'en étouffer.

À la moindre occasion, le chien s'accrochait aux hanches de mon neveu pour ensuite y aller d'un va-et-vient absurde.

L'autre, avec sa boucle d'oreille, en était à la politique internationale. L'Afghanistan, pour être plus précis. Les troupes canadiennes qui s'y étaient fourrées semblaient particulièrement l'accabler.

« Quand on pense que même les Russes s'y sont cassé la gueule ! Et qui va payer pour tout ça ? »

Tout ce que je souhaitais, c'était que Francis ne pose pas les yeux sur le chien qui tentait de baiser son fils. Je le connaissais depuis suffisamment longtemps pour savoir qu'une fois les bornes dépassées, il perdait tout sens de l'humour. Sur le moment, il s'attardait autour d'un punch qu'il semblait apprécier tout en faisant plus ample connaissance avec Luis qui accepterait probablement plutôt mal de voir son chien s'envoler comme une fusée.

« Ça me rend malade de les voir diriger le pays comme s'il s'agissait d'une boutique de bric-à-brac. Des paysans… On a l'air d'un tas de paysans qui se donnent assez d'importance pour se croire capables d'aller faire leur loi à travers le monde. »

Cette fois, il commençait à me tomber sur les nerfs. J'avais juré à Karl que tout se passerait dans la plus parfaite harmonie. J'y veillerais en personne. Je deviendrais une sorte de flic de la bonne humeur, prêt à sévir contre la moindre moue, à réprimer la moindre saute d'humeur. C'est donc dire l'urgence de me débarrasser vite fait de ce bonhomme qu'en d'autres temps j'aurais joyeusement envoyé au diable.

Je n'avais jamais vu Karl dans d'aussi bonnes dispositions. Aucun truand à l'horizon, nulle trace d'un *pusher* pressé de livrer sa cargaison. Je n'avais sous les yeux que des gens d'une propreté indiscutable et d'un savoir-vivre parfait.

Je devais donc la jouer finement et faire comprendre au plouc qu'on m'appelait plus loin.

Pour mettre fin aux assauts répétés du chihuahua, Marie s'était vue dans l'obligation de prendre Martin. Bien sûr, il pleurait. Bien sûr, il voulait retourner jouer avec le toutou. Aussitôt que je me suis trouvé près d'elle, Marie s'est déchargée de son fardeau, le temps d'une cigarette.

« J'essaie de pas fumer quand je l'ai dans les bras. »

J'aimais voir ma sœur fumer. Elle le faisait avec une conviction peu commune qui la faisait ressembler à un junkie qui sent son rêve lui couler dans les veines. Les yeux fermés, elle expulsait la fumée lentement avant de tirer une autre bouffée avec empressement. C'est elle qui m'avait initié en m'offrant mes premières cigarettes que je m'envoyais à l'abri du regard des grands.

« Y a quelque chose qui te tracasse, Marie ?

— Non, pas particulièrement. »

C'était généralement là que prenait fin ce genre de discussions. Entre nous, il y avait cette règle : ne jamais se tirer les vers du nez. Attendre que l'autre ouvre son jeu si jamais il en avait envie. Les confidences forcées n'étant jamais que des vérités alambiquées. On pratiquait l'art de la patience.

Cette fois-là, j'avais envie d'ouvrir le jeu. Il n'y avait pourtant pas d'urgence, mais les vertus de la patience s'étaient usées. Peut-être cracherait-elle le morceau.

« Je te connais assez pour comprendre quand t'es pas dans ton assiette.

— On a beau connaître les gens, mais y a toujours une zone floue, Marc. On a tous quelques secrets, non ?

— Oui, sans doute.

— T'inquiète pas, y a rien de grave. »

Elle regardait le lac sans vraiment le voir. Son regard le traversait pour plonger dans le bordel d'un paquet de souvenirs. Je la connaissais jusque dans le moindre repli. Rien ne nous échappait l'un de l'autre. On nous avait soudés dès l'enfance et, malgré les turbulences de nos vies, la greffe tenait le coup. Trop tôt, on avait été poussés vers cette solidarité qui incite chacun à rester dans le champ de vision de l'autre, prêt à sauter dans la mêlée. Quitte à s'écorcher, à s'arracher le cœur, à se vider de son sang.

« Tu le connais, toi, le lac ? »

Il m'était arrivé d'en faire le tour. Avec des copains, j'y avais monté un canot que je cachais dans le bois entre les visites. Mais comme la pêche y était moche, je ne m'y attardais jamais. Il y avait les vieux du coin qui disaient qu'on ne devrait pas pêcher sur un lac qui n'a pas le droit d'exister.

« Et par là, après le tournant, c'est encore profond comme espace ?

— Ça s'étend quand même pas mal et, au bout, t'as le mur des frustrations, comme on l'appelait. Le barrage, si t'aimes mieux. »

À l'époque, il était recouvert de graffitis. Des invectives, des slogans empruntés aux grandes causes et, bien sûr, un bon nombre de dessins ayant pour thème le cul dans toutes ses variantes.

« Sais-tu que j'ai moi-même contribué à sa décoration ?

— T'as dessiné une grosse bite ? C'est ça ?

— Non, madame. Ton frère est plus sérieux que tu penses. "Un jour on aura votre peau !" Rien de moins, ma chère. Puis, un bon jour, quelqu'un a décidé de rayer le *p*. »

Marie a ouvert de grands yeux en reprenant « … on aura votre eau ! » Elle trouvait « super ! » ce slogan ainsi travesti sans pour autant dénaturer l'essence du propos initial. « Parce qu'avoir leur eau, c'est aussi avoir leur peau. C'est reprendre ce qui a été volé. La réparation d'un

hold-up. » Elle reprenait quelques couleurs et il m'a semblé voir une étincelle dans ses yeux. Exactement comme
j'aimais la voir.

« C'est encore sur la digue ?

— Ça m'étonnerait. Ça fait plus de vingt ans de ça.
Le temps… Des gens qui en avaient assez d'avoir ça sous
les yeux… Y a plein de raisons pour que tout ça soit disparu. T'imagines, tu fais une petite balade en bateau avec
la famille et, chaque fois, on te dit que t'es une sale merde.
Moi, j'en aurais eu jusque-là et j'aurais fait les pressions
qu'il faut pour qu'on me nettoie tout ça. »

Il y avait l'usure, aussi. On a beau gueuler, s'époumoner
sur une injustice, mais quand ça ne fait même pas frémir
la feuille d'un arbre, on finit par donner du lest à l'espoir.

Luis s'est amené avec cette gueule du gars qui ne voit
que le beau côté de la médaille. Je ne sais pas comment
il s'y prenait, mais les rayons du soleil se tordaient pour
n'éclairer que lui (il n'y avait pas d'ombre tout autour).
Les brins d'herbe s'inclinaient pour accentuer la souplesse
de sa démarche.

« Moi, je trouve qu'il a trop de dents. Une bonne
dizaine de plus que la normale, m'a glissé Marie.

— Et d'une blancheur qui me donne mal au ventre,
ai-je répliqué. Et pourquoi il tient son verre de cette façon ?

— Pour pas que la chaleur de sa main réchauffe son
vin, voyons ! Mais bon, c'est le choix de Karl et on doit
faire avec, comme on dit. »

Il souriait vraiment beaucoup. En fait, tout chez ce gars
là était « trop ». Le noir dense de sa crinière (il va sans dire
abondante), le pli intransigeant de son pantalon, le lustre
aveuglant de ses godasses, la propreté de ses ongles, la profondeur de ses yeux… Quant à l'amour qu'il portait à Karl,
ça restait à voir. Je me sentais incapable de jurer quoi que

ce soit sur la nature de ce rapport et encore moins sur sa durée. Je connaissais notre frère et la série d'épreuves que Luis devrait un jour ou l'autre affronter.

« Paraît que t'habites pratiquement en plein bois ? Isolé, sur le bord de la rivière ? » m'a-t-il lancé d'entrée de jeu.

« Pour ce qu'il en reste », a rétorqué Marie en s'éloignant.

Luis a ignoré ce qu'elle venait de lui envoyer pour se lancer sur la chance que j'avais de vivre en harmonie avec la « férocité du paysage ». Chez lui, sur ce terrain où paradaient les invités, les arbres étaient dressés comme des chiens savants, figés, sans débordement.

« Loin de tout, a-t-il ajouté, rêveur.

— C'est à côté d'ici ! »

Je lui ai expliqué que, par la route qui zigzague dans la montagne, le trajet peut sembler long mais que, de l'autre côté de la digue, là où la pente s'accentue dans la noirceur de la forêt, en contournant quelques obstacles, en évitant quelques pièges, en dévalant à travers les conifères cordés serré, en glissant sur des pierres bien arrondies, en enjambant quelques troncs arrachés du sol par le vent, en pataugeant dans la *swamp*…

« … bref, j'habite à une vingtaine de minutes d'ici. Gros max. À condition d'avoir assez de cran pour aborder la forêt. »

Il ressemblait à un gars qui se demande s'il n'est pas en train de devenir le dindon de la farce. Son sourire se figeait et ses yeux allaient du lac à moi comme un oiseau qui hésite à choisir une branche où se percher.

« Ben sûr, c'est mieux d'emprunter la route qui se tortille dans la montagne », ai-je affirmé en espérant le voir se dégeler.

L'enthousiasme s'est soudainement emparé des invités qui levaient leurs verres. C'étaient les parents de Luis qui arrivaient. Fallait croire que rien ne nous serait épargné. Heureusement, Luis était enfant unique. Des gens bien, aimables et tout heureux de faire notre connaissance. Je pensais à Victor et au choc intersidéral que provoquerait son arrivée dans cette assemblée de belles personnes qui savaient donner la main, sourire, manger sans roter, boire sans se soûler, mourir sans vivre.

Karl arriverait-il à imiter ces gestes sans que ressorte de sous le mince vernis ce qui l'avait façonné avec toute la patience dont sont capables les mauvaises habitudes?

J'ai sauté dans la chaloupe accostée au quai avant d'inviter Marie à me suivre pour une petite randonnée. Je pensais que s'éloigner de toutes ces civilités patentes, de ces gens d'un monde que nous ne connaissions pas saurait la charmer.

«On va aller jeter un coup d'œil sur ce barrage pour voir si les insultes ont la vie dure.»

Il y avait longtemps que je n'avais pas ramé en eau calme. Comme si la nature détestait le déséquilibre, je sentais que la force extraite de ma jambe s'était transférée dans mes bras. Chaque coup de rame propulsait l'embarcation sur une distance appréciable. Tout le lac nous appartenait. Le clapotis de l'eau, les pépites de soleil sur sa surface, les odeurs d'un été chargé, la famille de cols-verts qui ne s'éloignait pas de la rive... Je souriais, les yeux plissés, et y allait d'un peu plus de vigueur.

«Tu fais une course?

— Dans un sens, oui. Une course contre l'amertume.»

Pendant que je remplissais mes poumons, Marie offrait son visage au soleil.

— Tu crois que ça vaut la peine d'écrire? Tu penses que c'est une totale perte de temps? Je me demande souvent si j'ai quelque chose à dire. Quelque chose d'important, je veux dire.»

Elle parlait sans ouvrir les yeux. On aurait dit la confession d'un péché.

Je refusais d'avancer le tronc pour pousser un peu plus. Tout devait se passer au niveau des bras, de mes muscles qui se tendaient au maximum. Mes doigts refermés solidement sur les rames, les nerfs de mes avant-bras, les coudes, les biceps gonflés comme du roc et tout ça bien accroché à une paire d'épaules qu'il me faudrait sans doute frictionner dans les prochaines heures. Il me fallait frôler le mal pour goûter le bien. L'un donnait son sens à l'autre. Ça, je le savais. Tout comme Marie. Même chose pour Karl. Jeunes, on avait appris à se dépatouiller avec la donne sans être plus malheureux pour autant.

«Tu sais, Marie, pour ce que j'en connais, tout a été dit. L'amour, la haine, la colère, la mort, la bonté, la force… Il existe des centaines de milliers de livres pour chacun de ces thèmes. Et puis, quelque chose à dire… Tu devrais peut-être parler de quelque chose à écrire, non? Moi, je me dis que tout dépend de l'angle adopté et peut-être surtout de la lumière que tu jettes sur la question. C'est peut-être ça qui compte.»

Elle n'a rien répondu.

«En attendant, regarde là-bas. Le mur des frustrations. Blanc comme neige. Rien… Même pas le moindre petit graffiti… De deux choses l'une: ou bien ils ont inventé des anti-graffiteurs d'une efficacité redoutable, ou bien les couilles sont passées de mode.

— C'est tout? T'es en train de me dire que c'est ce mur de ciment qui empêche la rivière de retrouver son eau?

— Ben, y a pas que le barrage, la géographie y joue un rôle. Regarde autour, les montagnes… Ça forme un entonnoir. Le barrage en est un peu le bouchon.»

C'est vrai que, d'où nous étions, le barrage pouvait paraître d'une insignifiance désarmante. Qu'un si petit muret prive une rivière comme la Sainte-Camille de mouiller ses berges avec la force dont elle était capable prenait soudain l'allure d'une injure. L'apparente fragilité du barrage se transformait en miroir reflétant notre propre faiblesse. Ou, pire encore, notre peur. Le petit pain pour lequel nous étions, paraît-il, nés.

« Faut pas se fier aux apparences, Marc. Ça reste quand même une solide masse. Il fait combien, en hauteur et en largeur ? »

Je n'en savais rien. Marie avait beau me dire qu'un menuisier doit être capable d'évaluer facilement les dimensions d'une surface, ça ne changeait rien au fait que je l'ignorais. Et puis je m'en foutais.

« C'est pas la taille du bouchon qui compte mais son efficacité, et celui-là, il fait drôlement la job.

— On dirait un barrage de voûte. Il a l'air fluet, comme ça, mais ça se joue au niveau des ancrages. Un peu petit, quand même, pour un barrage de voûte. »

Bien sûr, je m'étonnais de la voir ainsi discourir sur le barrage. À mon avis, elle en surévaluait la construction. Je n'y voyais qu'un mur de béton.

« On m'avait parlé d'un barrage à contreforts.

— Je savais pas que tu t'y connaissais en barrages !

— Je répète ce que j'ai entendu. »

Et pourquoi pas ? N'avais-je pas moi-même passé des mois à me documenter sur la diversité des écureuils en Amérique ?

Le vent commençait à chambouler l'air et à dessiner quelques moutons à la surface du lac qui risquaient de rendre le retour plus ardu. Je n'allais cependant pas jusqu'à craindre qu'une averse nous détrempe.

Je n'y croyais plus.

« Ça va aller ?

— Et pourquoi ça irait pas ? »

Je longeais autant que possible la rive, reprenant mon souffle dans les baies plus calmes. Je savais que j'y arriverais. J'aimais relever les défis qui m'enflaient la tête et poussaient mon cœur jusqu'à ses limites. J'affichais une gueule d'imbécile heureux qui regarde s'émietter ses forces sans se départir de son sourire. On vivait un moment sympathique, sans accroc, sans que Marie s'anime devant une de ses fameuses urgences qui finissaient toujours par bousculer le reste. Bref, un de ces moments qui se faisaient rares depuis quelque temps.

« T'es sûr que tu vas y arriver ? »

Je me suis fait une tête de vainqueur pour qu'elle comprenne qu'elle devait me faire confiance. Dans le pire des cas, on n'aurait qu'à se laisser pousser jusqu'à la rive et à attendre. Mais ça, je préférais ne pas l'envisager.

Elle était belle, ma sœur, quand l'inquiétude s'emparait d'elle. On avait l'impression que ses yeux se creusaient et que son front se froissait sous l'inflexion des sourcils. On aurait dit un voyageur qui souhaite la terre ferme. Elle pouvait passer de la plus grande tranquillité aux tensions extrêmes à la vitesse de l'éclair. Je l'ai rassurée en lui inventant des histoires à dormir debout où des marins d'eau douce triompheraient des plus dangereux écueils. « Tout est dans l'attitude, lui ai-je affirmé. Avec une approche de vaincu, on se retrouve à plat en moins de deux. Et puis, faut pas oublier qu'on peut faire du vent notre allié.

— Sauf que nous, on veut s'en aller par là et que lui nous pousse dans l'autre sens. »

On avait pourtant connu pire situation. Combien de fois l'avais-je vue se retrousser les manches pour surmonter des obstacles ?

« Ça prendra le temps qu'il faut, Marie, mais je te jure qu'on va se retrouver sur le plancher des vaches.

— Souhaitons que tu dises vrai. »

Pour le dernier droit, les choses se sont corsées. Je devais piquer de la pointe d'une baie à l'autre. Ça brassait, la chaloupe tanguait et Marie craignait de dégueuler dans le fond de la barque. À en juger par la fatigue qui s'installait, j'ai jugé que ce n'était pas gagné et j'ai espéré avoir assez de réserves pour honorer la promesse que je venais de lui faire.

« On commençait à s'inquiéter. »

Ils étaient tous là, plantés comme des piquets agités. Le vent les avait sérieusement inquiétés. Et pourtant, tout était revenu à un calme désespérant. Au-dessus des arbres dont les feuilles avaient été menacées, rien ne venait gâcher la plénitude de ce temps qui s'entêtait à nous priver d'une petite ondée. Alors que la grande nappe blanche s'était envolée jusqu'à aller s'accrocher à la cheminée de la maison, que les plats s'étaient renversés sur l'herbe, que les bouteilles gisaient au sol, un ciel sans tache s'étirait au-dessus de nos têtes.

« Tu m'avais promis de t'organiser pour que tout se déroule parfaitement… »

Karl s'énervait. J'avais à peine le temps de placer un mot qu'il remettait ça.

Aussitôt que tous les autres se sont trouvés rassurés, il a sauté sur la première occasion pour me tirer à l'écart et vider son sac.

« Tu me l'avais promis! Je parlais avec les parents de Luis, tout allait bien, quand on a remarqué votre absence. Avec le vent, tout le monde s'est inquiété. "Où est Marc?" par-ci, "où est Marie?" par-là. C'était ma journée et t'as trouvé le moyen d'attirer l'attention sur toi… »

Je regardais tout autour pour bien m'ancrer dans la réalité des choses. Je voyais un monde que je ne connaissais pas, ou alors c'était la première fois que je l'apercevais sous cet angle. Il n'y avait rien de vraiment lumineux. Rien pour éclairer la route.

«... déjà que j'étais nerveux! T'es pas sans savoir comment c'est important, les premiers contacts avec ses beaux-parents.

— Écoute, Karl, tu serais pas en train de brûler les étapes?»

Il était déjà parti.

Quatorze

Une semaine, avait annoncé Marie. Sept petits jours. Elle m'avait expliqué que des gens commenceraient à arriver quelques jours avant, histoire de compléter le travail de préparation. Les rues de Rivière-Sainte-Camille se retrouveraient bondées de manifestants, les restos feraient des affaires d'or, les bars déverseraient des océans de bière et, bien sûr, je songeais à mon père qui déjà trépignait.

Convoquant une conférence de presse pour dénoncer le « terrorisme avoué » des organisateurs de la manif, la ZEMCO avait permis que des journalistes plantent leur caméra et braquent leur micro sous le nez de monsieur-et-madame-tout-le-monde qui ne demandaient pas mieux que de vivre leur moment de gloire aux infos télévisées.

Chez moi, au bord de ma rivière devenue ruisseau, au milieu de mes arbres assoiffés, je m'isolais pour ne pas affronter le brouhaha. Je tentais de lire, de me reposer, de méditer. Je n'arrivais pas à me concentrer suffisamment pour ce genre d'exercices. Je me suis rabattu sur des activités moins exigeantes comme compléter tout un cahier de mots croisés, classer mes disques, passer le balai, laver le pick-up et même fendre quelques bûches. Je m'occupais l'esprit avec tout ce qui se présentait pour oublier cette petite phrase que m'avait glissée Luce lors de mon dernier passage au Palace : « Ton père attend que les journalistes se pointent pour leur dire sa façon de penser. »

Enfin, quelque chose du genre.

Je voyais ça d'ici, Vic en idiot de village, le regard huileux, la mine fripée comme une vieille éponge. La patate chaude dans la bouche quand il tenterait d'articuler quelques mots. Et le topo passant et repassant à la télé nationale. Tout un pays s'esclaffant devant ce mauvais clown à peine capable de tenir sur ses jambes. Et les journaux reprenant ce rare moment de loufoquerie. Et la radio, pourquoi pas !

L'idée m'était insupportable.

Déjà qu'il avait tout Rivière-Sainte-Camille sur le dos... Qu'on se moquait de chacun de ses gestes... Qu'on ne ratait pas l'occasion pour le pointer du doigt, grimacer sur son passage, se pincer le nez pour combattre sa puanteur.

Le pire était d'imaginer Marie devant ce mauvais spectacle qui viendrait bafouer tant et tant d'efforts pour que les consciences s'éveillent et poussent à l'action... Des mois de travail et d'espoir.

Tout ça anéanti, éclipsé par l'intervention burlesque de son propre père.

Mille fois j'ai jonglé avec l'idée de me rendre au Palace pour un petit entretien. Pour tenter de le convaincre de laisser aux autres le soin de donner un sens à la manif et de continuer à picoler sans se donner pour mission de répandre son opinion.

C'est l'Alfa Romeo qui m'a sorti de mes songes. Je m'en serais passé. Je préférais mille solitudes plutôt que la compagnie de ce couple sans queue ni tête. Le monde basculait, et ces deux-là allaient me braquer leur bonheur sous les yeux ?

Et puis, ça me gênait de marcher devant Luis chez qui tout frôlait la perfection, alors que moi, je me déplaçais comme un manchot sur une glace vive. Allais-je devoir lui expliquer que j'avais connu mon heure de gloire et que je n'étais pas né avec cette canne dans les mains? Devais-je lui préciser qu'à une époque les filles se retournaient sur mon passage, que j'étais un type bien et qu'on cherchait ma compagnie?

Je ne comprenais pas pourquoi Karl m'imposait la présence de ce gars avec qui je n'avais rien à partager.

«Ça va bien, vous deux?»

Du premier coup d'œil, j'ai compris qu'il valait mieux passer sous silence l'ecchymose qu'abordait Luis sur l'arcade sourcilière. Ç'avait donc bardé… Quatre jours après la célébration futile qui devait «officialiser» leur couple, les plombs avaient donc sauté… Trop pressé de mettre son monde sous sa botte, Karl s'était sans doute un peu énervé. Combien d'assiettes avaient volé en éclats? Combien d'invectives, de coups, de menaces? Sans aller jusqu'à me réjouir de la situation, j'en ressentais pas moins un certain plaisir, celui de retrouver mon jeune frère là où je l'avais laissé.

Le visage plissé sous les rayons de ce maudit soleil, je leur ai proposé les seules bières qu'il me restait. Des Heineken bien fraîches. Mais c'était mal connaître ce cher Luis qui avait prévu le coup. Comme un magicien, il a sorti un chardonnay de nulle part. Ne manquait plus que les verres que Karl s'est empressé d'aller chercher.

Qu'allait-il me sortir comme inepties pour tuer le temps avant que Karl revienne? Je sentais qu'il était du genre à ne pas supporter le silence, quitte à baragouiner n'importe quoi. Pour ma part, je me taisais férocement pour le laisser mariner dans son inconfort.

«C'est donc ici que se terre l'ermite! s'est-il décidé.

— Ouais, si on peut dire.

— Et moi, j'habite où ?

— Par là, tout en haut de la montagne, derrière la maison. »

C'était comme si je venais de lui apprendre que la terre était redevenue plate. Il a levé la tête avant de l'agiter dans tous les sens, surpris de ce voisinage insoupçonné.

« Si près et si loin… »

Karl s'est amené, Luis a fait sauter le bouchon chardonnay et j'ai regardé la drôle d'équipe qu'ils formaient. Mon frère, brouillon comme dix, et ce type chez qui jamais rien ne dépassait ni ne venait frôler la marge. Encore plus étourdissant que la proximité du palais de Luis et de ma baraque déglinguée.

« On vient de quitter Marie », a annoncé Karl.

Cette fameuse Marie me surprendrait toujours. On s'attend à ce qu'elle surgisse à droite, la voilà qui descend du ciel. La veille encore, elle m'expliquait comment ce gars ne lui inspirait que de la méfiance avec ses manies et ses phrases déjà toutes prêtes. Elle en avait croisé deux ou trois du même acabit et n'était pas prête de les oublier.

« C'est comme les chats, tout va bien jusqu'à ce qu'ils aient envie de te griffer. »

Alors que je m'étais senti prêt à courir à la défense de ce nouveau venu dans la famille, elle avait fini par me convaincre de rester sur mes gardes. De ne pas le quitter des yeux.

« J'aime beaucoup l'esprit de famille. Vous trois, vous êtes…

— Seuls au monde, l'ai-je coupé. Mais Marie, elle faisait quoi chez toi ? »

Rien de particulier selon Luis. Une visite surprise, comme ça, sans s'annoncer. Jamais il ne me rentrerait ça dans le crâne. C'était tout simplement impossible que ma sœur s'amuse en compagnie de ce gars-là. Peut-être voulait-elle surveiller son petit frère et s'assurer qu'il s'en sorte sans trop d'égratignures.

«... une fille vraiment superbe!»

J'ai regardé Karl pour en savoir plus.

«Ouais... Elle est arrivée comme un cheveu sur la soupe. Un peu pressée mais avec l'air de celle qui a tout son temps. Un peu coincée mais qui aimerait bien qu'on la sente à l'aise. Tu la connais... Elle voulait que Luis la promène tout autour du lac. Elle a pris des photos du paysage, de nous et du barrage. "Pour un prochain roman", elle a dit. Regarde-moi pas comme ça, je le sais que c'est pas normal.»

Dans le ciel, un oiseau de proie faisait le guet. Trop haut pour reconnaître l'espèce. Une tête d'épingle tournoyant à deux doigts des nuages.

«Si tu veux mon avis, ça doit pas marcher très fort avec Francis, a-t-il repris. Tellement colon, le pauvre. Oui, je sais... Mais on n'a pas le même regard sur les gens. T'as le droit de l'aimer, mais tu peux pas m'obliger à en faire autant. Elle a l'air heureuse, notre sœur? Quand tu la regardes, tu vois une femme épanouie? Toi qui prétends la connaître, tu penses que Francis est ce qu'elle espérait comme avenir? Il a une tête de prince charmant, peut-être?

— Je vois pas pourquoi Francis représenterait forcément un échec.

— T'es de mauvaise foi, Marc. Francis est pas en mesure de combler une femme comme Marie.»

Bon sang, combler une femme comme Marie! Qui donc pouvait prétendre arriver à la ravir? C'était carrément hallucinant d'entendre Karl tenir des propos semblables. Mais où se trouvait-il pendant toutes ces années?

Que regardait-il pour ignorer qu'on n'était pas de la race de ceux chez qui le bonheur fait son nid ?

« Désolé, Karl, mais je pense que tu dérailles avec tes histoires.

— Évidemment, c'est plus facile de se mettre la tête dans le sable.

— Et toi, tu nages en plein bonheur ? J'imagine que la blessure que Luis a au-dessus de l'œil est une marque d'amour ? C'est quoi ? Tu vas pas me raconter qu'il s'est cogné la gueule sur le cadre de porte ! »

Je le sentais gêné. Pas de quoi, c'était dans sa nature de régler les différends avec les moyens du bord. Quand les mots ne suffisaient pas, il fermait les poings. Ça se retournait souvent contre lui mais, avec Luis, il n'y avait rien à craindre.

Je me demandais ce qu'il allait inventer pour retomber sur ses pattes. Quelle petite méchanceté il allait sortir de son sac pour me clouer le bec.

Je le visais, ce Luis qui s'amusait à cueillir des fruits sauvages qu'il transportait dans le creux de sa main.

« Tu devrais lui dire de faire attention, il serait capable de bouffer des baies empoisonnées et de tomber raide mort.

— Luis ! il a crié, mange rien de tout ça sans que je voie ce que c'est. »

Une étincelle a jailli entre ses lèvres.

« Faut que je te dise autre chose, il m'a lancé. Je suis orphelin. J'ai dit à Luis que j'avais perdu mes parents. C'est un demi-mensonge, si tu veux mon avis. »

Je me suis mis à rire. C'était incontrôlable et, dans les circonstances, je crois que ça restait encore la meilleure réaction.

« Content de voir que ça te fait rire.

— En fait, y a vraiment rien de drôle. Même que c'est moche, Karl. C'est très moche. Et comment tu vas lui expliquer que *moi*, je suis pas orphelin ? Comment il va comprendre que *moi*, j'ai un père ? »

Rien qu'à voir sa gueule, je saisissais que de sales idées s'y installaient. Allions-nous remettre ça sur le tapis ? Sûrement pas, il n'avait pas les nerfs de Marie pour supporter une discussion le moindrement corsée. Là où elle ciselait ses arguments, il trébuchait stupidement avant d'éclater.

« Tu trouves pas que c'est déjà assez compliqué comme ça ? je lui ai dit. T'as vraiment besoin d'en rajouter ? Une petite poignée de sable supplémentaire dans l'engrenage ? Marie est au courant ?

— Contrairement à toi, elle a pas fait d'histoire. Même qu'elle me comprend parfaitement. »

Je n'en croyais rien. Marie ne pouvait pas encourager ce genre d'histoire à dormir debout. C'était une femme capable de voir le monde sans en rogner les sections qui risquaient de la froisser. Le père, elle l'avait dans le collimateur depuis longtemps, lui promettait un chien de sa chienne et lui vouait sans doute une haine sans retenue. Elle savait haïr sans tricher. Jamais elle n'irait jusqu'à nier l'existence du problème. Ou alors, je ne connaissais rien à cette femme et je m'étourdissais de fausses convictions.

« C'est ridicule, Karl. Rivière-Sainte-Camille est grande comme ma main. Tu sais bien qu'à moins d'un miracle Luis va tomber sur Victor ou sur quelqu'un qui le connaît. »

Il m'a lancé un de ses regards tout pleins d'amertume. Exactement le même qu'il braquait chaque fois qu'une contrariété venait bousculer ses projets.

Luis s'approchait avec les sourcils bien hauts et un sourire clinquant comme un collier de perles. Tout heureux de nous présenter le tas de bleuets qu'il tenait au creux de sa main.

« Ça se mange, ça ? »

Pendant qu'il s'envoyait ses petits fruits, planté au bord de la rivière, j'en ai profité pour bien expliquer à Karl ma vision du monde. Ce petit monde. Le nôtre. Celui dans lequel on se démenait depuis notre premier jour et qui ne nous faisait pas de cadeau. Celui où chaque avoir baignait dans la sueur. Où chaque instant de paix portait les cicatrices de guerres passées.

Et il fallait savoir apprécier les trêves et se tenir en alerte pour les nouveaux chambardements qui n'allaient pas tarder.

« Tu fais comme tu veux, Karl. Tu mènes ta vie là où tu sens que tu trouveras ce que tu juges nécessaire à ton bonheur. Tu peux toujours jeter un regard sur cette vie que tu méprises. Tu peux la détester, cracher sur le passé. Mais il est hors de question que t'assassines ce qui vient brouiller ton petit paradis. En clair, tu fais pas chier. »

Quinze

Une nappe de brouillard flottait au-dessus de la Sainte-Camille et, plus haut, de longs nuages s'étiraient comme du coton qui s'étiole.

Avec Marie au bout du fil, je jaugeais l'épaisseur et la dureté des conflits qui menaient le monde. Je la sentais nerveuse et fatiguée et je me savais parfaitement impuissant. Je ne connaissais pas les mots susceptibles de la ramener à un rythme plus supportable.

« Pas le choix, on peut pas rester les bras croisés. C'est pour répondre aux attaques qu'à notre tour on convoque une conférence de presse.

— Tu penses vraiment que c'est la meilleure chose à faire ?

— T'as mieux à proposer ? Écoute, Marc, tu les as entendus comme moi. On organise une manif qui sera pacifique, dans la mesure où les flics ne se mettront pas à nous attaquer, et ils nous traitent comme si on était des terroristes. »

« Pacifique » me paraissait un bien grand mot. Je ne les avais pas rêvées, ces vitrines qui volaient en éclats et qui faisaient les choux gras des reportages à la télé, ces cocktails Molotov, ces bombes lacrymogènes, ce déferlement d'arrestations, arbitraires ou pas... Et ces bagnoles de flic en feu, c'était pour réchauffer l'ambiance ?

«Ce qu'ils ont fait représente ni plus ni moins qu'une déclaration de guerre. Et devant ça, pas question de rester les bras croisés.

— Je sais pas, Marie… J'ai vraiment l'impression que tu t'enfonces dans un truc dont t'as pas la maîtrise. Et tu me dis que t'as besoin de ça pour écrire! Je comprends pas.

— Je sais ce que je fais. Et ne recommence pas avec les Marguerite Duras, Nancy Huston et compagnie. Dis-toi bien que j'aime la littérature, mais jamais je la mettrai au-dessus de la vie. Et compte-toi chanceux, Marc, je te demande même pas de choisir ton camp.

— La vie, la vie…

— Parfaitement, la vie. Elle n'a jamais été facile pour nous et vient un moment où ceux qui nous l'ont foutue en l'air doivent payer la note.»

Je ne voulais pas qu'elle se blesse, c'est tout. Qu'elle tombe en miettes et qu'elle ne trouve jamais la force de se relever. Je ne voulais pas qu'à son tour elle devienne la risée de Rivière-Sainte-Camille.

«Deux gars vont passer chercher les boîtes que je t'ai laissées.

— Les tracts?

— Oui, les tracts. Enfin, ils vont pas tout emporter. Quelques boîtes, c'est tout. Trop pressés, tu comprends?»

Eh ben, non, je ne comprenais pas. Je n'avais jamais trempé dans ce genre d'affaires, ou à peine quelques fredaines estudiantines, mais rien pour se décerner une médaille. À peine de quoi faire le jars devant quelques étudiantes avec lesquelles on souhaitait avoir un peu de bon temps. Mais pour le reste, je ne saisissais pas ce qui attisait cette flamme qui les poussait à tant de détermination.

«Pas le temps de t'expliquer. On se reparle.»

À côté d'elle, une plaque d'acier me semblait plus mal-
léable. J'éprouvais le désagréable sentiment qu'on ne se
comprenait plus. Suffisait que je dise blanc pour qu'elle
crie noir. Je me sentais comme si tous les ponts avaient
sauté. Je me demandais où était passée cette époque où
nous avions une confiance totale, une complicité absolue
qui nous portait à croire en notre invincibilité, en cette
bonne étoile qui veillait sur nous. C'était comme si nos
petits différends d'alors sortaient de l'ombre pour grossir
sous la lumière avant de nous péter en pleine gueule.

Je suais à grosses gouttes.

Je me suis servi un verre que je comptais avaler bien
calé dans ma chaise longue à regarder la lenteur du débit
de la rivière. À cette époque, je ne connaissais rien de
plus apaisant. Même à demi tarie, même sale et puante,
la Sainte-Camille restait un point d'ancrage considérable
quand arrivait le moment de tourner le dos à tout le reste.

Mon verre était à peine entamé quand une bagnole
déglinguée s'est amenée dans un nuage de poussière. Deux
gars en sont sortis, le sourire avenant et la démarche athlé-
tique de ceux qui peuvent vous prédire que l'avenir ne peut
qu'être radieux. Je me demandais si le fameux Lavergne
faisait partie du duo. Je préférais l'ignorer, dans la mesure
où je me sentais parfaitement capable de lui balancer mon
poing sur la gueule.

«C'est toi, Marc?

— Y a des chances, oui.

— Hé! a lancé son sbire, ça va mal dans ce coin de la
rivière!

— On peut dire que t'es perspicace», lui ai-je lancé
avant de les inviter à entrer.

Ils regardaient les piles de boîtes, les déplaçaient et
cherchaient je ne sais quoi. Je leur ai souligné qu'elles

recelaient toutes la même camelote, ce qui m'a valu une paire de sourires idiots.

« Ici » a lancé le plus grand.

Ils ont foutu quatre boîtes dans le coffre de la voiture.

« C'est tout ? me suis-je étranglé. Vous apportez seulement quatre boîtes ?

— Marie t'avait prévenu, non ? »

Les portières se sont refermées et la bagnole s'est mise en branle en crachant quelques nuées.

« Z'auriez pas envie d'être un peu plus clairs des fois ? »

Avant que l'horizon s'obscurcisse, je me suis installé au volant en direction du village. J'ignorais si je voulais réellement la rencontrer. Pour lui dire quoi ? Tout semblait s'éteindre. Et puis, les mots étaient-ils nécessaires entre nous ? Allions-nous commencer à tout expliquer ? Au fond, je croyais benoîtement que, même dans le silence, on pouvait faire en sorte que les fils se raccordent d'eux-mêmes et que la vie pouvait reprendre son cours. Je croyais qu'on n'avait pas besoin de s'embourber dans des discours toujours trop chargés.

Devant chez elle, j'ai vu Francis assis sur la dernière marche de l'escalier avec une bière entre les mains, l'air de méditer sur ses vieux péchés. Il ne semblait pas me voir avancer vers lui. Même quand j'ai été me planter devant lui, il a continué à fixer le vide. Je cherchais une façon de signaler ma présence, mais je sentais qu'il valait mieux attendre. Je connaissais ce gars-là depuis longtemps, on avait traversé quelques tempêtes, célébré un bon nombre de victoires, mais jamais je ne l'avais vu avec cette tête.

Je me suis allumé une cigarette avant de lui en braquer une sous le nez.

«Si c'est pour ta sœur, tu seras pas surpris d'apprendre qu'elle est absente. La révolution arrive, tu vas pas t'imaginer que Jeanne d'Arc va l'attendre tranquillement avec sa famille.

— Tout ça va finir dans quelques jours, l'ai-je rassuré. Après ça, tout va revenir comme avant. Si ça se trouve, on va en rire.

— Faut que je te remercie pour tes bonnes paroles?»

Je voyais bien qu'il n'en était pas à sa première bière et que mon arrivée avait stoppé les quelques larmes qui lui humectaient encore les joues. Mais bon, quand on a vu un gars sur un chantier se rentrer un clou de six pouces à travers le pied sans grimacer, on va quand même pas lui souligner la rougeur de ses yeux.

«Écoute, elle est à cran. Elle s'en est trop mis sur les épaules. Tu sais comment elle est. Son roman, la manif, son boulot…

— Un autre gars, peut-être?»

Je rejetais vigoureusement l'hypothèse. Au risque qu'on me rie au nez, qu'on me traite de naïf, je prétendais connaître suffisamment Marie pour nier ce genre de trucs. C'était trop ordinaire pour une fille comme elle. Trop classique comme dénouement. Trop banal pour une fille comme ma sœur qui savait relever la tête quand il le fallait. Je la savais d'une autre nature.

«Enlève-toi ça de la tête, Francis.

— Je sais pas pourquoi, je sais pas dans quel but, Marc, mais ta sœur me joue dans le dos.

— Tu te trompes.

— "Ouvrir la porte du Gîte", ça te dit quelque chose? Deux fois je l'ai entendue presque chuchoter ça au téléphone. Bizarre, non?

— Sûrement le titre d'un prochain roman. Tu sais comme elle est moche avec les titres.

— C'est moi qui deviens fou ou ben c'est elle?»

C'était pas évident de lui redonner un peu d'assurance. D'une phrase à l'autre, sa gorge se serrait. Les silences s'étiraient et on évitait stupidement de se regarder franchement. Je sais qu'il aurait aimé que je lui donne raison, mais j'en restais incapable.

«Si jamais y a une chose, une seule chose à faire pour que Marie sorte pas de ça amochée, faut agir, Marc. Elle reçoit un caillou et j'écope d'une falaise, tu comprends? Si tu peux faire quelque chose, je te supplie de le faire.»

J'avais horreur d'être poussé au pied du mur. Je trouvais insupportable qu'on m'imagine comme faisant partie de la solution. Je ne savais rien de plus que lui sur les va-et-vient de ma sœur. J'en savais encore moins sur la façon d'intervenir. Marie lui glissait entre les doigts et je pouvais en dire autant. D'une certaine façon, on se retrouvait au même point.

Quelques jours, quelques heures, et tout ça allait s'arrêter. Les choses allaient-elles retomber dans leurs cases? Ça restait à voir.

«Je peux compter sur toi?

— Ben sûr, Francis.»

Quatre caisses. Quatre-vingt-seize bières, bien comptées. Bien froides aussi. J'y tenais.

«Tu fais des provisions pour la manif?»

J'avais déjà connu ce gars-là, derrière son comptoir de dépanneur. Il y avait longtemps. Peut-être mûrissait-il des souvenirs fabuleux en ma compagnie. Ou encore, l'avais-je trouvé sympathique. Aimable et de compagnie agréable.

Là, je n'éprouvais que du mépris pour sa gueule de vipère.

J'ai déposé un billet de cinq dollars sur le comptoir.

« Ça, c'est pour que tu transportes les caisses dans la boîte du pick-up. »

Je calculais mes gestes, soupesais mes efforts. Depuis l'accident, la mémoire du corps s'était raffinée. Telle petite foulure à la cheville, ce tibia fêlé, ces tendinites lointaines... Comme dans un ancien orchestre, chacun des musiciens y allait de son petit solo. Depuis deux jours, une bonne vieille bursite se rappelait à ma mémoire. En plus du reste, je devais me gaver d'ibuprofène et traîner une odeur d'antiphlogistine qui imprégnait mes vêtements et empestait l'intérieur du camion.

Et pas question de claudiquer comme un malheureux devant ce merdeux.

J'étais à deux coups de volant du Palace où la question du stationnement ne représentait jamais un problème.

« T'as vu ça, fils? Y a des étrangers à Rivière-Sainte-Camille. Et des journalistes qui viennent voir si on a des couilles. T'as vu ça?... »

J'ai jeté un coup d'œil à l'horloge et me suis étonné de le trouver encore capable d'aligner deux phrases. Sur un signe, deux bières sont tombées sur la table.

« Oh, je pourrai jamais te remercier assez, mon Marco.

— Tu savais que Marie fait partie de ceux qui ont organisé la manif?

— Je veux pas entendre parler d'elle.

— Je te parle de Marie comme étant ta fille. Je te parle d'une femme qui a du cran. T'as pas idée de ce que ça demande comme implication. En plus qu'elle fignole son roman. Devrait sortir bientôt.

— C'est gentil, Marc, mais ça m'intéresse pas.

— N'empêche que, côté couilles, elle a rien à envier à ceux qui se vautrent ici.

— Juge pas, Marc. Juge jamais ces hommes que tu connais pas. Ils ont vu neiger. Tu vas voir, le jour de la manif, c'est sur des gars comme ça qu'il va falloir compter. Tu peux me croire, j'ai rien qu'un mot à dire et ils vont sortir dans la rue. »

On regardait un match de foot sur la télé juchée dans un coin du bar et je comprenais que j'aurais dû réfléchir à la façon de l'aborder. À l'image de sa fille, il pouvait se changer en dynamite sans qu'on s'y attende. Je m'étais amené ici en imaginant y retrouver un Vic capable de compromis et d'un brin d'amour filial. Et surtout assez ouvert d'esprit pour admettre que cette manif contre la ZEMCO ne le regardait pas. Que sa place, sa vraie place, celle qu'il avait choisie, c'était là, à sa table du Palace.

Tout autour, des types accrochés à leur bouteille comme des porcs à leur auge ressassaient des miettes d'histoire sans début ni fin. L'idée que mon père en soit m'a traversé l'esprit. Comme chaque membre de cette fratrie d'incapables, il moisissait dans ce trou qu'il creusait de jour en jour. Il ne savait faire que ça et n'attendait plus rien de l'existence. Je ne possédais pas le regard tranchant de ma sœur. Quand une question me taraudait, je la balayais sous le premier tapis qui se présentait. Je ne me vantais pas de ça, bien entendu. Je faisais même tout un tas de simagrées pour qu'on ne remarque rien. Mais j'avais l'impression qu'avec le temps ça devenait difficile à cacher. Impossible, même. Je savais qu'un jour viendrait où on ne verrait que ça, cette veulerie, cette mollesse qui me condamnait à l'inaction. Je me sentais encore capable de quelques coups fumants, de quelques actions suffisamment lumineuses pour qu'on me regarde avec un brin de fierté. Mais c'était bien peu. Je m'enlisais. Pour la première fois, j'entrevoyais la possibilité de finir mes jours dans un décor semblable à celui où je me trouvais. Assis sur une chaise identique, à enfiler les verres à la queue leu leu.

C'était peut-être à ça que menaient les traces de mon père.

Quand il terminait une bière, je la remplaçais aussitôt. Il n'en revenait pas de cette manne. J'avais assez de fric pour en assommer de plus coriaces. Je me sentais capable de soûler tout un troupeau de buffles. J'avais déjà remarqué deux jeunes costauds qui, je l'espérais, m'aideraient à compléter le travail. Déjà, Vic n'encourageait plus que mollement l'équipe de France qui se démenait à la télé. Léger grognement, tout au plus. Et pourtant, les gars se défonçaient et venaient de combler un retard d'un but.

« J'aurais besoin de toi pour quelques jours. Des petits travaux sur la maison. »

Rien.

Ivre mort.

Sans même que j'eusse dû débourser le moindre sou, les deux gars m'ont transporté le père jusqu'au pick-up. Une fois le travail fait, on a fumé une cigarette en admirant la pureté du ciel.

« Vous êtes pas du coin ?

— Pas du tout.

— Touristes ?

— Pas vraiment.

— Donc ?...

— T'es flic ?

— Sérieusement, t'en connais beaucoup des flics qui sont obligés de se servir d'une canne ? »

Ils étaient là pour la manif. S'occupaient de louer des champs pour qu'y campent tous ceux qui venaient de leur région. Considéraient que la patience du peuple atteignait sa limite… Juraient que les choses allaient changer… Jugeaient que le mépris touchait à sa fin… Et j'en passe.

« Tu vas y être ? »

Je le leur ai promis.

« On peut savoir ton nom ? »

J'ai inventé n'importe quoi.

Comme un avertissement de ce qui m'attendait dans les jours à venir, le ciel s'est fendu d'un éclair et la terre a grondé sous le coup du tonnerre. Et la pluie, celle que je souhaitais, celle que toute la région suppliait de tomber, a inondé le pare-brise. Les essuie-glaces arrivaient à peine à m'offrir une visibilité potable. J'aurais préféré recevoir ce déluge en d'autres circonstances, mais j'allais me contenter du moment. J'allais même jusqu'à l'apprécier. Des sillons se formaient à la surface du chemin de terre. Des petites rigoles s'y gravaient pour aller s'enfouir dans les fossés. La cime des conifères ployait sous le vent.

Je me suis garé sur l'accotement pour réfléchir. Je me sentais comme sur une voie à sens unique, sans embranchement, sans possibilité de retour en arrière. Je venais de me balancer le plus lourd des fardeaux sur les épaules et l'idée même d'un regret restait parfaitement inutile. J'en avais vu d'autres. J'avais beau me le répéter, ça ne changeait rien à cette affaire qui, de loin, surpassait en possibilité explosive tout ce que j'avais pu imaginer jusque-là.

J'ai attrapé le cellulaire pour parler à Marie. J'ignorais ce que j'allais lui raconter. Lui parler de Victor ? Lui annoncer que je venais à toutes fins utiles de le kidnapper ? Lui expliquer que c'était pour elle que je faisais ça. Pour qu'il n'aille pas tout gâcher. C'était parfaitement absurde.

« Ouais, allô, Marie. T'as vu ça ? Dehors, t'as vu ? Cette pluie-là, c'est pas une bonne nouvelle ? En plus, il fait presque froid. Je te jure, j'ai des frissons. T'entends le tonnerre? On dirait qu'il vient de loin. Comme s'il se préparait depuis longtemps.

Ben, ouvre les fenêtres. Va dehors. Je te jure que ça fait un siècle que j'ai pas vu une pluie pareille. J'ai dû me tasser sur le bord du chemin. Zéro visibilité.

Avec ça, la rivière va reprendre du mieux.

Oui, je sais que ça prend plus que ça. Mais quand même…

On peut se réjouir même si c'est passager. Même si c'est pas assez.

C'est jamais assez, de toutes façons.

Bon, O.K. Retourne dormir.»

Victor n'avait pas ouvert l'œil de tout le trajet. Quelques grognements, tout au plus. J'ai allumé une cigarette pour la lui foutre entre les lèvres. «Allez hop», j'ai ordonné quand il a semblé se réveiller. Je pouvais tout juste lui servir d'appui pour éviter qu'il se répande de tout son long sur la terre boueuse. Mais avec la canne bien enfoncée, j'y arrivais. Quand je le voulais vraiment, j'arrivais à tout. La pluie nous traversait. Quelques pas, et on était trempés. C'était bon, cette fraîcheur qui me gagnait et chassait la fièvre qui nous infestait depuis des semaines.

«… froid.

— Oui, ben sûr. C'est normal.»

Je l'avais carrément sur le dos et ça représentait un poids lourd comme un roc. L'épreuve, c'était ces quatre marches qu'il devait gravir. Je ne doutais pas de la solidité de la main courante, mais c'était un costaud, Victor.

Une fois devant, il s'est arrêté comme pour méditer sur la tâche à accomplir. Il regardait l'escalier en se grattant le crâne.

« Allez, Victor, crisse ! Je vais pas te porter comme un bébé. Fais un effort ! »

J'ai pensé le ramener dans le pick-up où il pouvait toujours passer la nuit, mais j'étais bien conscient que c'était pas une solution. Je me demandais d'ailleurs s'il y avait une solution. Ou si ce bonhomme ne saurait toujours être qu'une enfilade d'ennuis. Puis, comme s'il venait de résoudre une énigme, il s'est agrippé à deux mains à la rampe pour, dans une lenteur inimaginable, gravir les marches une à une.

« Où est ton chien ?

— J'ai jamais eu de chien.

— Tu devrais. »

Une fois sur le balcon, il a frotté ses paupières avant de regarder la rivière derrière un rideau de pluie. On la voyait à peine. Ce qui ne l'empêchait pas de sourire largement.

Seize

La nuit avait été bonne. Avec le vent traversant la baraque de part en part, bousculant ces vieilles odeurs imprégnées, ces relents de souvenirs toujours mauvais, on se sentait, au matin, moins poisseux et gluant que toutes ces nuits qu'on venait de passer à se demander si le jour se lèverait. Bien sûr, la Sainte-Camille en demandait davantage. Les berges, bien que moins rêches, restaient tout aussi assoiffées.

Je me suis levé pour retrouver mon père assis à la table devant un verre d'eau, le regard traversé de questions. L'air de se demander ce qu'il pouvait bien foutre dans cette maison qu'il connaissait à peine.

« T'as oublié ? Hier, je t'ai demandé de venir m'aider à faire des travaux sur la maison.

— …

— T'étais d'accord.

— Oui, oui. »

Œufs, bacon, fèves au lard… Mais j'avais rien de tout ça. De ce côté-là, j'investissais trop peu. Je bouffais ce qui se présentait sans en demander davantage. On s'est donc contentés d'un pain tranché, de beurre d'arachide et de café.

Au cours des dernières années, je n'avais jamais vu mon père autrement que bourré. Balbutiant ses inepties,

175

se souriant à lui-même, rotant cette étonnante quantité de bière qu'il s'envoyait d'un jour à l'autre. Que ce soit au Palace ou chez lui, toujours il était soûl ou sur le point de le devenir. Les discussions que j'avais eues avec lui étaient du calibre de celles qu'on peut avoir avec un ivrogne. On avait parlé du temps qu'il faisait, du prix de la bière, de ses copains qui, des fois, se joignaient à nous, de ceux qui traînaient des tonnes de problèmes et de certains qui finissaient par crever le foie en mille miettes. Il lui arrivait aussi de se remémorer ce qu'il appelait le « bon vieux temps » où la vie semblait toujours filer sur une route sans embûches.

Je percevais une étonnante timidité dans ses gestes, et ses sourires brefs tranchaient avec ses éclats auxquels j'étais habitué. Ce matin-là, je n'avais que le vide à contempler. Je voulais bien le combler, ce trou qu'on avait creusé à coup de silences, mais j'ignorais par où commencer et, surtout, avec quelle matière on remplit les abysses.

On a bu du café sur le balcon en regardant la rivière se vider du peu qu'elle avait reçu. On a dit quelques phrases. Rien de très fracassant. La plupart du temps, on se taisait en laissant au vent le soin de balayer ce qui risquait de nous embarrasser. Je pensais à ces quatre-vingt-seize bouteilles de bière qu'il fallait débarquer de la boîte du pick-up. Mais je n'en avais pas vraiment envie. Trop lourd et sans véritable urgence. Sans compter qu'une fois le trésor dévoilé, je ne donnais pas cher de Vic pour la suite des choses.

« Bon, s'est-il décidé, c'est quoi, ces travaux ? »

Depuis quelques minutes, je le regardais se passer à répétition la langue sur les lèvres, chercher cette petite chose qui devait commencer à lui manquer. Ses mains tremblotaient mais ça, j'en avais l'habitude. Enfant, le matin, je m'étonnais de voir valser le café dans sa tasse sans jamais qu'une goutte vienne s'éclater sur la table.

« Ben la question, la vraie, c'est : par où commencer ?

— T'en as tant que ça à faire ? »

Dans les faits, on pouvait envisager de tout refaire. La toiture devait être repeinte, le coin droit du balcon pourrissait, la porte d'entrée grinçait…

« L'urgence, ce serait bien les pilotis. Ils sont à changer. »

La surprise s'est répandue sur tout son visage. Pour lui, l'homme défait, et pour moi, le handicapé, l'entreprise devenait téméraire. La sobriété le rendait beaucoup moins audacieux. Après ses pitoyables virées au Palace, il se sentait capable de transporter des montagnes et là, je le voyais blêmir devant une douzaine de malheureux pilotis à moitié pourris.

« C'est beaucoup trop pour nous deux, ti-gars. »

On s'est alors entendus pour changer une vingtaine de planches du balcon. J'étais bien conscient qu'il me faudrait plus que ça pour le garder à vue pendant les prochains jours. Dans ma tête, le compte à rebours s'étirait jusqu'à perte de vue. Le King du Palace ne pouvait pas rester hors de son royaume trop longtemps sans le prétexte de quelques urgences. « Quatre petits jours », me répétait la voix de ma conscience. Quatre-vingt-seize putain d'heures. Ce qui me consolait, c'était qu'il en passerait la moitié dans son coma quotidien.

L'idée de reprendre des outils en main me donnait des ailes. Le cri aigu de la scie circulaire, celui étouffé de la perceuse… Y avait une bonne année que ces bras-là n'avaient rien foutu qui vaille. La possibilité de me retrouver avec quelques échardes, quelques cloques ou égratignures me remplissait de bonheur. C'était avec des muscles courbaturés que j'avais traversé la plus belle partie de mon existence. Victor sentait-il la quintessence du moment, la particularité du geste à l'instant où l'infirme envoie sa canne au diable pour s'appuyer à la matière?

« À propos, y a quelques bières qu'il faudrait enlever de la boîte du pick-up. »

Fallait voir sa gueule devant la cargaison.

« Tu prépares une fête?

— Non mais on est loin de la ville. Et si on veut pas crever de soif...

— Vaut mieux prévenir, c'est sûr. »

On a couché quelques bouteilles au bord de l'eau, suffisamment immergées pour qu'elles restent fraîches, et on est retournés à la tâche. Si tout s'éternisait, je ne pouvais pas blâmer Vic qui ne manquait pas de force dans les bras. La chemise collée au corps, il arrachait les planches abîmées sans ménagement. La lenteur venait exclusivement de la difficulté que j'avais à me tenir en équilibre avec une scie à 5 800 tours/minute. C'était mon instrument préféré à l'époque où je gagnais ma pitance. Je la maniais comme d'autres manient le scalpel.

« Pas grave, ti-gars, y a rien qui presse. On finira plus tard, pas plus compliqué que ça. »

L'heure était à vérifier si la Sainte-Camille avait su communiquer sa fraîcheur à la trentaine de bouteilles qu'on lui avait confiées. Bière en main, Vic s'est enfoncé dans le sous-bois pour disparaître totalement dans la tiédeur de la forêt. J'ai fixé mon attention sur un colibri qui piquait son bec dans la fiole de nectar accroché devant la fenêtre. Je le regardais reculer, tanguer et revenir pour un autre goûter. Derrière lui, ma maison. Petite et franchement laide. Je me rappelais le moment de l'achat où, fébrile, j'avais eu l'impression de mettre la main sur l'occasion d'une vie.

Victor est apparu avec une poignée d'ail des bois et un sacré paquet de champignons retenus dans les pans de sa chemise transformée en panier.

« Où t'as pris ça ?

— Un cueilleur le moindrement sérieux donne jamais ses spots. Contente-toi de croquer dans l'ail des bois. »

Au-dessus d'un feu allumé devant la rivière, il a fait sauter ses chanterelles dans une noix de beurre. Pour ne pas être en reste, j'y ai versé un filet de vin blanc qui a aussitôt parfumé l'air.

« T'as une femme ?

— Oui et non.

— Y a une femme qui rôde dans ta vie ?

— On peut dire ça. Elle s'appelle Mado.

— C'est un beau nom, Mado. »

Le débit de ses phrases ralentissait de l'une à l'autre. Le soleil couchant lui cognait sur les paupières et je sentais bien que le jour tirerait sa révérence sous peu.

Un long silence s'est abattu. Il dormait solidement. Même les insectes qui tourbillonnaient autour de sa grosse tête n'arrivaient pas à lui soutirer le moindre geste.

Rue Principale, le soleil glissait ses derniers rayons sur l'asphalte craquelé. Une fine poussière paressait dans l'air que traversaient bonne quantité de nouvelles têtes. Même le Palace devenait méconnaissable avec ces gars et ces filles dont les discussions voyageaient d'une table à l'autre au milieu des rires. Les copains de mon père se retrouvaient tassés dans leur coin. Silencieux. Craintifs comme des vaincus sous la botte des insurgés. À ça de la potence.

Au bar, j'ai attendu un moment pour me faire répondre que Luce n'y serait pas de la soirée. J'ai jonglé un moment en regardant les filles jusqu'à ce que le pantin de ventriloque s'amène.

Pas besoin de rien ajouter. Je l'ai rassuré sur l'état de mon père.

«C'est quand même pas normal qu'il soit pas ici.

— Mais qu'est-ce que vous voulez de plus? Il est chez son fils, en pleine nature et heureux comme un roi. Vous pouvez répéter ça à Luce? Victor ne sera pas de retour avant la fin de la manif.»

Il a glissé sa main dans ce qu'il lui restait de cheveux. Hébété.

«À ce point-là?

— Je vais vous refiler un conseil à vous et vos amis, restez bien tranquilles chez vous pendant que ça brasse dans les rues. Ce qui va se passer là, ça vous regarde pas. Sans compter que les flics vont vous croquer comme des petits fruits sauvages dans le temps de le dire.

— Surtout si Vic est pas là… Merci de nous prévenir.»

Je l'ai regardé filer avant de sortir et de goûter l'air de Rivière-Sainte-Camille. Je slalomais tant bien que mal parmi des gens qui discutaient de l'avenir de la planète avec cette tête catastrophée qu'ont ceux à qui on vient d'enlever un morceau de vie. Un type distribuait un feuillet où la ZEMCO en prenait plein la gueule. Voleurs! Assassins! Complices du capitalisme sauvage! Exploiteurs sans conscience! J'étais pas mécontent de voir ce *success story* ramené au niveau d'un banal hold-up.

J'ai appelé Mado qui croulait sous les demandes de cette clientèle inhabituelle.

«Mais ça va?

— Oui, bien sûr. Et toi?

— Tout est parfait.»

Elle devait remplacer Marie jusqu'au lundi suivant. Affairée à sa contestation, ma sœur avait tout juste le temps de jeter un regard à son fils qui, lui, passait ce bout de vie dans les bras de son père.

« Tu veux dire que je peux même pas lui parler ? »

J'imaginais Francis crever d'inquiétude.

« Allô, Francis ? C'est Marc. Ça va ? Je viens d'apprendre que Marie est occupée vingt-quatre sur vingt-quatre. Tu t'organises comment ?

— Génial, mon vieux !

— Tu veux me répéter ça ?

— Tout va super ! Marie m'a enlevé toutes ces peurs de con qui me tournaient dans la cervelle. C'est une femme impliquée, ta sœur, Marc. Tu sais quoi ? Je l'admire. »

J'étais pas certain d'avoir bien saisi ce que le beau-frère venait de me dire. Le monde avait-il filé comme une flèche sans que j'en aie aperçu le moindre mouvement ? Comment s'y était-elle prise pour pétrir cette pâte molle de Francis au point de lui refiler ce trait de conscience ?

« Bon ben, c'est parfait, mon Francis.

— On se voit samedi au stand de l'association ?

— Sans doute. Marie y sera ? »

Il a pouffé devant ma question qui me reléguait au rang des incurables naïfs.

En marchant vers le pick-up, j'ai acheté un sac de carottes bio qu'une fille vendait devant le disquaire de la rue principale. J'en ai bouffé la moitié tout au long du trajet en réalisant que, depuis notre naissance, depuis ce jour où on avait été éjectés dans ce désordre, Marie et moi étions pour la toute première fois injoignables. Aussi éloignés que des planètes ancrées à leurs galaxies.

Dans la dernière côte, celle où je devais prier pour que le pick-up en ait assez dans le ventre pour la gravir, les phares ont glissé des cimes au ciel pour redescendre lécher une touffe de jeunes genévriers voisins de la maison. À côté de sa chaise, dans la lumière faiblarde d'un croissant de lune, il y avait Vic, couché à même le sol au milieu d'un cimetière de bouteilles vides.

Dix-sept

Dès l'aube, je l'ai entendu parler seul et je me suis demandé si la folie ne l'avait pas gagné. Je ne comprenais pas la teneur de ses propos, mais j'étais sensible à leur intonation. Un soupçon de colère suivi d'une modulation qui laissait penser à une certaine bonne humeur pour glisser ensuite vers un rire léger et sans éclat. Ne manquait qu'un vis-à-vis pour lui donner la réplique.

Je me suis sincèrement demandé si ses heures n'étaient pas comptées. Il avait beau être costaud, personne ne pouvait résister bien longtemps à un tel état de délabrement. Au bout d'un moment, je me suis levé pour le retrouver assis sur le balcon, poursuivant ce qui ressemblait à une discussion avec la rivière. Bien entendu, elle lui répondait. C'est du moins ce que je comprenais.

Le plan que je m'étais fabriqué pendant mes heures d'insomnie venait de s'envoler. Comme je m'attendais à le trouver encore endormi, assommé et ronflant, j'avais prévu filer en douce jusqu'à la ville. J'escomptais y faire quelques provisions pour aussitôt revenir avant même qu'il ait ouvert un œil.

J'ai brassé quelques chaudrons afin de le ramener sur terre. Vic a sursauté avant de se lever péniblement pour s'amener dans la cuisine. Il était plus pitoyable que la veille. Plus pitoyable que je ne l'avais jamais vu. Il a refusé le café que je lui proposais pour se diriger vers le frigo et en sortir une bière décapsulée depuis la veille. Un vieux truc de soûlon. Une bière « flat », affadie, sans bulle, au petit matin, pour se remettre des ravages accumulés.

« Le feu par le feu… »

Ses mains tremblaient. Ses yeux étaient injectés de sang. Goulot aux lèvres, je l'entendais déglutir et je n'étais plus certain d'avoir eu la bonne idée. Je me demandais si on pouvait aussi simplement sortir une épave de son habitat sans provoquer de trop forts remous. Sans que du fond s'élève tout un amalgame de merdes qu'on tente depuis toujours d'ignorer. Les déceptions, les regrets, les fausses idées qu'on se forge pour se maintenir à flot.

Il a roté et a semblé reprendre des couleurs. Cela dit, il n'était pas vraiment plus reluisant.

« On travaille aujourd'hui ? »

Cette question-là portait la marque de la contrariété. Travailler, en était-il seulement capable ? Je me suis demandé si tout ne deviendrait pas plus simple en lui disant la vérité. En lui avouant que l'unique raison de cette comédie était qu'il débarrasse Rivière-Sainte-Camille pour quelques jours. J'osais à peine imaginer sa réaction.

« J'avais pensé aller d'abord faire des courses.

— En ville ? »

Encore mieux que sa bière « flat », l'idée de fouler les trottoirs de Rivière-Sainte-Camille lui a allumé une lueur dans le regard. Dans ma tête, ça se bousculait drôlement. L'idée d'empoigner le volant du pick-up et de tout faire disparaître dans un nuage de poussière m'a traversé l'esprit.

« Et si on commençait par passer sous la douche ?

— Bonne idée », m'a-t-il envoyé en empoignant une bière toute pétillante.

La cabine du pick-up était à peine supportable. Habit rouge de Guerlain. Une eau de toilette que m'avait offerte une ancienne flamme qui croyait aux vertus des fragrances sur la libido féminine. Hors de prix. On recommandait un léger trait. Victor semblait s'en être enrobé.

Pendant qu'il s'était douché, j'en avais profité pour tenter de joindre Marie.

« Je sais, Francis. Je sais, je te dis. Tu peux quand même pas m'empêcher de vouloir parler à ma sœur.

Mais toi, t'as des nouvelles ? Tu sais ce qu'elle fout pendant toutes ces heures ?

… moi aussi je l'admire. Va pas penser le contraire. Je suis très fier de ma sœur. Elle fait de grandes choses. Si toi tu viens de t'en apercevoir, c'est pas mon cas. Quand elle écrit, elle fait aussi de grandes choses. Mais ça…

Mais tu la vois quand même ?

Elle te semble en forme ?

Désolé, mon vieux Francis, mais je vais téléphoner tant et aussi longtemps que j'en aurai envie.

Le gars qui va m'empêcher de parler à Marie est pas encore né.

Non, je suis pas en colère. Je veux juste mettre les choses au clair.

Bla bla bla. Je te demande de lui dire que j'aimerais bien avoir de ses nouvelles. De vive voix.

C'est ça, salut. »

Il m'a fallu arrêter sur l'accotement pour que mon père aille se vider l'estomac. Une fois la chose faite, il a poussé du bout du pied une petite quantité de gravier sur le dégobillage, un peu comme le font les matous avec leur merde.

« Excuse-moi.

— Y a pas d'offense. »

La chaleur s'était bel et bien réinstallée. Vingt-quatre degrés en pleine nuit. Ça finissait par jouer sur les nerfs. J'avais lu quelque part que, en période de grandes canicules, il se commettait plus de viols, d'agressions, de meurtres…

« Tu savais ça ?

— À mon avis, les gens sont mauvais. La température a rien à voir. »

J'attendais ce moment. Je l'appréhendais, même. Je m'y étais préparé et le problème se trouvait peut-être là. Je commençais à croire qu'avec Vic y avait rien de mieux que l'improvisation. Et ce qui me plaisait, quand j'improvisais, c'était que j'avais pas besoin de mentir, tout devenait vrai au moment où je formulais ma réponse. Je me plaisais à penser que je ne savais pas mentir. Ce qui était tout à fait faux. En fait, j'avais l'impression d'avoir passé ma vie à slalomer entre les mensonges et les demi-vérités.

Donc, en quittant le chemin forestier, j'ai ignoré la route de droite menant à Rivière-Sainte-Camille pour emprunter celle de gauche, direction Baie-d'Iberville. Petit village agricole.

« Mais où on va comme ça ?

— À Baie-d'Iberville.

— Tu veux acheter quoi au juste ?

— Clous, vis, un peu de bouffe… Une bouteille de vin. J'allais oublier le vin.

— Tu pouvais avoir tout ça à Rivière-Sainte-Camille.

— Ça change des habitudes. T'aimes pas ça, le changement ?

— …

— Tu manques de rien chez moi ? Il te manque quelque chose ? Tu vas pas me dire que t'aimes mieux te retrouver avec tes amis au Palace qu'avec ton propre fils en pleine nature ! »

C'est un cerf traversant la route à grandes enjambées qui l'a déridé.

« Wow ! J'ai chassé son arrière-grand-mère, à celui-là. »

Les clous comme les vis n'étaient pas de la plus grande urgence. En fait, si je m'étais donné la peine de fouiller dans la remise, je serais tombé sur exactement ce que je venais de jeter dans mon panier. Mais j'aimais les quincailleries, tous ces outils étalés, luisants comme des bijoux précieux. Et ces gars qui s'y baladaient, soupesant telle perceuse, empoignant telle scie, s'ébahissant devant les prouesses technologiques. Toute ma vie d'homme était habitée de ces choses qu'on finissait par voir comme des joyaux.

Pinceaux, rouleaux, manchons, perches...

« Quatre gallons de peinture ? Rouge ? Tu veux faire quoi avec ça ?

— Repeindre le toit de la maison.

— Rouge ? Pourquoi rouge ? Laisse-moi deviner, tu veux que, quand un avion passe à dix mille pieds dans les airs, les gens regardent par le hublot et se disent qu'il y a un chanceux qui habite là, devant la rivière. »

Il n'avait pas tout à fait tort.

On a bouffé des frites à la terrasse d'un snack qui faisait face au fleuve. J'ai eu droit aux aventures de Vic le marin qui prétendait avoir parcouru la planète sans jamais avoir connu le mal de mer. Tout emmêlés, ses souvenirs ne correspondaient en rien à ce qui me revenait en mémoire. Peut-être mentait-il, mais ça n'avait aucune importance. Ce qui comptait, dans ces récits, se trouvait au delà des faits. La plus grande des vérités s'étalait sous mes yeux sans que j'eusse dû fournir le moindre effort. Je saisissais un peu mieux la nature du bonhomme en l'entendant raconter ses histoires où il n'y avait nulle trace de ma mère, ni de Marie, ni de Karl, ni de moi-même. Il n'y avait que lui. Seul et, me semblait-il, heureux de l'être.

Je pouvais m'objecter, m'ahurir, contester.

Mais je voulais profiter du soleil qui était bon et regarder le Saint-Laurent qui coulait avec sa lenteur habituelle.

En après-midi, on s'est retrouvés sur le quai. Lui pêchait, moi je lisais Philip Roth, *Ma vie d'homme*. Je peinais à me concentrer sur ma lecture. Mon père jacassait sur tout et sur rien. Changeait de leurre au bout de deux ou trois lancers improductifs, se plaignait de la chaleur, se battait contre les insectes qui semblaient l'avoir adopté.

«À l'époque, y avait plein d'achigans, ici. Des brochets, aussi.»

C'était pas bien grave. Au fond, je faisais semblant de lire. Je prenais du bon temps en compagnie de cet homme qui réussissait par une phrase, un sourire, une attention, à effacer tout le reste. Ses soûleries, ses haut-le-cœur, sa toux tonitruante, ses frasques en tous genres. Tout le passé, sans s'effacer, se diluait dans ces petits gestes anodins qui tissent la vie.

Je me demandais quelle partie de mon être avait obstinément refusé de grandir.

«Y a rien comme un ver de terre», a-t-il annoncé en saisissant une bêche.

La terre était trop aride pour espérer y trouver le moindre lombric. J'avais beau le lui répéter, il s'en balançait et jurait qu'il finirait bien par en tirer quelques-uns de là. Il y a mis le temps, suant, grimaçant à chaque pelletée, se frottant le bas du dos avant de recommencer. Quand il est revenu, il tenait un ver qui se tortillait entre son pouce et son index.

« Tu vas voir ça, fils. »

Je me suis servi un verre de muscadet pour mieux apprécier les nuages qui, de temps à autre, nous plongeaient dans l'ombre.

« Si tu veux mon opinion, Marc, tu payes trop cher pour ton vin.

— Y a plus cher. Et puis, quand on veut goûter un bon vin, faut y mettre le prix.

— Un bon vin… Tu sais comme moi à quoi ça sert, l'alcool. On boit pas pour se régaler ou pour déguster. Je vais pas t'expliquer ça à ton âge. »

Je refusais de poursuivre ce genre de discussions. Surtout avec un homme qui avait les deux mains dans la caisse de bières depuis quatre ou cinq heures et dont l'esprit s'embrouillait un peu plus d'une phrase à l'autre. Deux heures, trois peut-être, et il n'y aurait plus rien à en tirer. Depuis un moment, ses lancers manquaient de précision. *Idem* pour ses mots qu'il agrémentait de postillons. Quelques signes qui ne trompaient jamais. Vic, mon père, construisait, si je puis dire, ses défonces par blocs. Il y avait d'abord cette première bouteille matinale, celle qui ouvrait la voie, suivie d'une ou deux autres. Puis, il buvait du café, grignotait des miettes et laissait passer quelques heures avant de s'y remettre. Il prenait ainsi deux autres pauses pour finir sa journée en pleine débandade.

« Yé! »

Contre toute attente, le fil de sa canne s'est tendu avant de filer en amont. Vic tentait de régler la tension du moulinet. Dans son état, tout était possible et le monofilament pouvait tout aussi bien se rompre bêtement. Un achigan a bondi hors de l'eau pour y replonger aussitôt. Long comme l'avant-bras et gras comme une truie.

« T'as un filet pour le puiser? »

Je n'en avais pas. Le fait est que je ne pêchais plus depuis des lustres. J'avais perdu le réflexe de sortir l'attirail au moindre signe d'activité. La Sainte-Camille, je la regardais couler sans présumer de ce qu'elle avait dans le ventre.

« On va pas perdre ça ! Non ! ON VA PAS PERDRE ÇA !

— Holà ! j'ai crié. Le combat est pas fini. Faut l'épuiser, le fatiguer. Faut être le plus malin des deux. C'est inutile de se presser. Si tu le veux, ce poisson-là, tu dois y mettre le temps. Il doit faire trois livres… Au moins trois. Ça se mérite, une bête comme celle-là. »

Sans hésiter, Vic s'est retrouvé dans l'eau jusqu'à la taille, férocement déterminé à ramener sa prise. Avec ses gestes brusques, son impatience grandissante et, bien entendu, l'alcool qui lui drainait les veines, ça allait forcément chier. Sans compter que je ne jurais de rien quant à la solidité de cette vieille canne à pêche et encore moins quant à celle du fil qui bourrait le moulinet. La bonne nouvelle, c'était que la bête résistait de moins en moins, mais je savais que l'inévitable second souffle n'allait pas tarder. Ce moment où le poisson donne tout ce qu'il lui reste d'énergie pour ne pas finir dans une poêle à frire.

De deux choses l'une : ou bien je me mouillais à mon tour pour lui venir en aide, ce qui amoindrirait l'exploit, ou bien je le laissais se démerder. J'ai opté pour la deuxième voie et j'en ai profité pour composer le numéro du cellulaire de Marie.

Toujours rien.

J'ai hésité un huitième de seconde à composer celui de Francis pour arriver au même résultat. Restait plus qu'à me rabattre sur Karl qui n'en menait pas large.

« Enfin, j'ai encore une famille !

Ben non, ça va pas bien.

Écoute, Marc, ici, c'est l'enfer. Luis, ben, c'est pas vraiment ce que j'avais imaginé.

Pas de reproche, s'il te plaît, c'est pas le moment.

Rien, y a rien qui va. Je me sens prisonnier dans sa cabane de riche. Le lac, j'ai de la misère à le regarder sans que le cœur me lève. Luis a beau faire le *cute* devant les gens mais, dans l'intimité, c'est une autre histoire.

Non, non, pas de détail.

Faut que je décrisse, Marc.

Tu peux me dépanner?

Faut que je parte et ça presse. Lundi? Tu veux ma mort?

Non, c'est pas ce que tu penses.

Un joint par-ci, par-là, rien d'autre. Je te jure!

Marie? Ah, celle-là… Je sais pas ce qu'elle a dans le cul, mais c'est impossible de lui parler. Sa bagnole est ici. Elle est partie avec un gars dans le bateau de Luis. Garde ça pour toi, c'est top secret, il paraît. »

J'avais eu un mal de chien à comprendre ce qu'il racontait et avec l'autre fou qui aurait laissé sa vie pour son achigan, c'était pas gagné.

« Pourquoi tu peux pas venir me chercher? Je suis ton frère, merde.

— Je suis pas seul, Karl.

— Mado est capable de comprendre que tu me donnes un coup de main.

— J'ai pas dit que j'étais avec Mado, j'ai dit que j'étais pas seul. »

Son silence était plus éloquent que tout ce qu'il pouvait ajouter.

« Et si jamais il te vient à l'esprit de prendre un taxi, organise-toi pour pas débarquer ici. »

Il a sèchement coupé la conversation et j'ai compris que je ne le reverrais pas de sitôt. Bien sûr, je me sentais un peu moche mais, d'un autre côté, je venais de me débarrasser d'une source d'ennuis appréciable.

Bien scellé dans du papier aluminium avec quelques rondelles de citron dans le ventre, le poisson cuisait sur un lit de braise qui luisait dans une nuit sans véritable lune. Trop gros pour un seul estomac. Vic, soûl mort, gisait sur la chaise longue après avoir arrosé copieusement cette victoire qu'il qualifiait d'historique.

Je n'arrivais pas à m'enlever de la tête l'image de ma sœur avec un gars dans le bateau de Luis. Je n'y croyais pas. Ça ne lui ressemblait pas. Qu'est-ce qu'elle pouvait bien y foutre? Depuis toujours, Marie était mon seul véritable point d'ancrage; la possibilité qu'à son tour elle déraille m'inquiétait. Quant à Karl, il récoltait les fruits de ses pauvres semailles. Je n'y pouvais rien.

Pigeant dans les flancs de l'achigan, je philosophais stupidement sur le sort d'un monde auquel je ne comprenais plus rien. Bien que sous l'effet d'un formidable K.-O., je persistais à imaginer les choses sous un aspect moins tragique. Je m'accrochais à l'idée que tout ce branle-bas de combat finirait par se calmer sans toutefois perdre de vue qu'on était vendredi. La veille du jour où la terre de Rivière-Sainte-Camille allait trembler sous la botte d'une armée de manifestants ayant la rage au cœur.

Dix-huit

Je tournais en rond au beau milieu de la maison, la tête pleine de questions auxquelles je répondais aussitôt. Le frigo était plein de bières et la bouffe était bien en vue. Vic n'avait qu'à appuyer sur *on* pour que la cafetière se mette en marche. La canne à pêche reposait sur le balcon, des fois que l'envie de remettre ça le prendrait. Tous les outils ayant un potentiel élevé d'accident se trouvaient dans la remise cadenassée. J'ai glissé les gallons de peinture rouge sous mon lit pour être bien certain qu'il n'irait pas s'aventurer sur le toit.

« Un imprévu, j'ai dû m'absenter. De retour le plus tôt possible. »

Me restait plus qu'à signer et à foutre le camp.

« Je suis contente de te voir », m'a glissé Mado en déposant mon petit-déjeuner sur le comptoir.

J'avais passé l'âge de l'amener dans un coin reculé du resto ou de la tripoter en douce. Bref, je ne savais pas comment lui signifier qu'elle me manquait aussi et qu'une espèce de flamme me brûlait l'intérieur.

« Ça commence à quelle heure ?

— Aucune idée, m'a-t-elle répondu. Les clients sont pressés de sortir. C'est peut-être déjà commencé. T'as vraiment envie de te mêler à ça ? »

J'entendais : avec ta canne, avec ta démarche presque risible, tu veux te faire écrabouiller entre les flics et les manifestants ?

« Oui, pourquoi pas ? Je sais être prudent quand la situation le demande.

— Mais avec ce que j'entends ici, ça va barder. Marie nous l'a dit, que ce serait pas facile. T'as des nouvelles d'elle ?

— Pas une miette. »

Avec Marie, Mado était la seule femme qui comptait pour moi et pour qui, en retour, je comptais. S'il est vrai qu'on récolte toujours ce qu'on a semé, j'étais plutôt content de ce qui me tombait dans les bras.

« Je te laisse aller si tu me promets de faire attention. »

Je lui ai affirmé qu'elle n'avait rien à craindre.

Aussitôt la porte du resto franchie, j'ai été saisi par une vague étourdissante. Le temps de me rendre au coin de la rue, je me suis retrouvé avec des dizaines de tracts dans les mains.

Des gars grimpaient sur ce qu'ils trouvaient pour y aller de discours souvent semblables, avec la mondialisation en toile de fond. Chercher à mettre un nom sur une tête aurait été parfaitement inutile. Le monde semblait s'être donné rendez-vous dans la rue Principale de Rivière-Sainte-Camille. Les slogans débordaient largement le développement international de la ZEMCO qui ressemblait à un grain de sable dans la longue liste des doléances.

« FMI, POURRI ! »

Je n'avais jamais, de ma vie, vu autant de gens réunis en un même endroit. Et de toutes les sortes. Chaque îlot s'identifiait sous sa bannière pour finir par former une masse compacte. Des écolos *soft*, des écolos *hard*, des marxistes, Amnistie internationale, des anarchistes, des raéliens et même quelques krishna avec cette fiente qu'ils se dessinent sur le front.

Comme un bloc, les manifestants avançaient en direction d'un rang de policiers qui agitaient déjà leurs matraques. La tension était à son comble dans l'attente du coup d'envoi des hostilités.

Ça n'a pas tardé. Une bouteille a volé, une brique, puis une pluie de cailloux de toutes tailles que les flics évitaient avant de resserrer les rangs pour accueillir la première charge de manifestants. Les matraques s'abattaient lourdement, fendant quelques crânes au passage.

Ce n'était plus Rivière-Sainte-Camille mais une de ces grandes villes habituées aux chambardements, aux cris, au sang, aux pierres qui volent comme des oiseaux lourds aux courses effrénées, aux matraques agressives, aux flics à cran, aux gyrophares excités.

Une première vitrine a éclaté et d'autres ont suivi. Je n'avais pas assez de mes deux yeux pour emmagasiner tant d'actions, tant d'espoirs convergents, tête baissée vers un même but. Même à l'écart, j'arrivais à me sentir impliqué.

J'ai croisé une jeune fille avec une coulisse de sang sur le visage. Comme elle avançait à l'aveugle et que la foule déferlait en notre direction, je l'ai tirée par le bras pour la mettre à l'abri. À bout de souffle, elle m'a remercié avec empressement.

« C'est profond?

— Dur à dire. »

J'ai écarté ses cheveux pour jeter un coup d'œil à la plaie et j'ai fini par juger qu'elle devait voir un doc pour refermer tout ça.

« Pas le temps. Ça devra attendre. Tu peux prendre des photos avec ton cellulaire?

— Oui, mais je sais pas comment.

— Donne. Ici, tu pèses ici.

— Et je dois photographier quoi?

— Ben, moi! Faut absolument conserver des preuves de ce qu'ils nous font.»

Je me suis exécuté. Une fois, deux fois, puis une troisième, ce qui l'a satisfaite.

Elle a imbibé un mouchoir à même sa bouteille d'eau pour ensuite se nettoyer le visage. Une fois lavée, elle a saisi mon téléphone pour expédier la photo en question sur un site Web.

«Mais à quoi ça va servir?

— Tu vis dans quel monde? À l'heure qu'il est, tu peux déjà voir la manif sur YouTube.»

Je ne connaissais rien à tous ces trucs et je me suis contenté de sourire à la fille qui a aussitôt filé vers la masse qui retraitait devant les bombes lacrymogènes.

J'ai relevé le col de mon t-shirt sur mon nez. Stopper les effluves. Urgence de respirer. Nécessité de garder le regard braqué sur les mille et un dangers qui semblaient se multiplier à vue d'œil. La loi et l'ordre étaient de mauvais poil. Fallait se rendre à l'évidence. Avec l'artillerie répressive qu'ils maniaient comme des pros, les flics allaient nous servir une de ces raclées qui restent en mémoire.

Je cherchais Marie. Même si c'était déraisonnable, j'espérais la voir dans cet élément qui était le sien. Drapeau en main, soulevant la foule, exaltée. Pour une fois, exaltée et glorieuse. Depuis une heure, au moins, je tournais la tête dans tous les sens, fouillais dans la masse de manifestants sans jamais l'apercevoir. Pleine de sang? Menottée? Croupissant dans le fond d'une cellule?

Quant à Francis, c'était tout aussi illusoire de penser le retrouver dans un chaos semblable. Il était peut-être chez lui, à amuser son fils en attendant Marie qu'il aimait sans doute d'une façon plus rationnelle que moi.

« À bas la répression !

À bas !

À bas !

À bas ! »

Tous en chœur, ils scandaient. Tous en chœur, ils fonçaient. Tous en chœur, ils se feraient massacrer sans ménagement.

Le fracas se répandait comme une rumeur assourdissante que certains recevaient avec rage, et d'autres, avec une trouille de tous les diables. Je marchais sur un tapis d'éclats de verre, étincelants comme autant de pierres précieuses, en me tenant autant que possible à l'écart de la cohue. Je me suis adossé au mur d'un stationnement. Un gars au crâne rasé reprenait son souffle entre deux charges. Bâton de baseball en main, le regard en alerte, il affichait une mauvaise bosse sur l'occiput.

« T'as une cigarette ? »

Je lui en ai refilé deux.

« Ah, les chiens, ils y vont pas de main morte.

— Tu devrais peut-être mettre de la glace sur ça.

— T'as ça à portée de la main, toi, de la glace ?

— Je dis ça pour aider. »

Un A encerclé tatoué sur la main, il fumait avec la lenteur d'un type qui a tout son temps. « T'as beau avoir de bonnes épaules, me disais-je, tu vas y passer, mon pauvre vieux. »

« Moi, je peux peut-être t'aider, a-t-il lancé en expulsant un petit nuage de fumée. Je veux pas te vexer, bonhomme, mais avec ta canne, je pense pas que tu sois à ta place. Même avec tous mes membres, j'y arrive à peine. Va surtout pas t'imaginer qu'ils vont t'épargner. Eux et moi, on est de vieilles connaissances. Si y en a un qui sait de quoi ils sont capables, c'est moi. »

Sa remarque méritait réflexion, mais je ne pouvais pas m'écraser platement dans la pathétique situation qui était la mienne. Je ne pouvais pas survivre aussi tristement dans la plénitude des ploucs. Je voulais bien qu'on me prévienne du danger, mais pas qu'on m'en écarte.

Le gars m'a remercié pour les cigarettes pour aussitôt filer en brandissant son bâton.

« La propriété privée est un vol !

À bas !

À bas !

À bas ! »

Les gaz formaient un plafond grisâtre qui s'alourdissait dans la chaleur de la ville. Les drapeaux flottaient dans la puanteur vicieuse d'une répression trop bien orchestrée. Accroché à un lampadaire, un type décrivait la scène. À travers ses mots, je voyais une marée de manifestants déterminés à modifier l'état des choses et des flics qui ne retraitaient que pour mieux revenir à la charge.

Et je frappais le sol avec ma canne.

Et je m'ennuyais de ma jambe. De cette jambe qui savait marcher, courir, donner des coups. Quand une bouteille est venue éclater à mes pieds, je me suis transporté jusqu'à l'entrée d'une ruelle où se trouvaient une douzaine de manifestants venus s'y reposer. On y donnait les premiers soins. Diachylon, gaze, pansement… Certains s'inquiétaient, mais la plupart s'agitaient, s'impatientaient, gueulaient, se hâtaient de repartir dans ce ring où je ne donnais pas cher de leur peau.

Je commençais à regretter d'être là, plongé dans un enfer où je ne pouvais qu'être un spectateur stérile et encombrant. Je ne manquais pas de conviction, je manquais de force, d'agilité, de vélocité…

Je manquais de tout.

D'une chose à l'autre, je me suis retrouvé assigné à la distribution de bouteilles d'eau qu'on venait chercher à un rythme tel que je craignais de voir les stocks s'épuiser.

« T'es le frère de Marie ? m'a demandé une fille qui m'a pris une bouteille d'eau.

— Elle est ici ?

— Non.

— On se connaît ? »

Elle m'a fait comprendre qu'elle me reconnaissait et que je devais me contenter de ça.

« Ça va pour toi, les escaliers ? »

Je lui ai menti avant d'entreprendre la montée d'une flopée de marches en colimaçon qui menaient au toit surplombant l'arène. Un gars, lourdement équipé, prenait toute une série de clichés qui, pensais-je, allaient se retrouver dans toutes les agences de presse du pays.

Je me rinçais l'œil, carrément. De mon mirador, je voyais qu'en nombre les flics ne faisaient pas le poids devant toute cette colère en marche. Un groupe s'attaquait à la ZEMCO soigneusement protégée par un sérieux contingent de policiers antiémeute qui serraient les coudes. J'ai senti une montée de la tension. Du côté des flics, de celui des manifestants et même chez ceux qui me tenaient compagnie sur le toit. Les slogans redoublaient d'ardeur.

Le FMI, les banques, la complicité du gouvernement, la cécité volontaire des preneurs de décisions…

« … quels preneurs de décisions ? Ils décident en fonction de leur poche. Politiquement, socialement, personne ne prend de décisions. Voilà le résultat. »

Une pluie de projectiles est allée frapper les contreplaqués qui couvraient les ouvertures de la ZEMCO.

« Prépare-toi, a lancé la fille au photographe qui braquait déjà son objectif. Prépare-toi, c'est pour bientôt. »

Je savais qu'il était inutile de les questionner sur ce qui se tramait. Je pouvais déjà me compter chanceux d'être admis sur ce toit, à l'abri des bousculades.

Un brasier a surgi à l'intersection de la rue Principale et de celle du Marché. Je distinguais une bagnole de flics, ventre en l'air, entourée de flammes qui en léchaient les flancs. Dans l'axe opposé, une énième vitrine a volé en éclats. Dans les airs, les cocktails Molotov croisaient des bombes lacrymogènes. À quelques pas de moi, la fille hurlait dans son walkie-talkie qu'un contingent se mettait en position au bout des rues adjacentes, qu'il fallait agir vite pour éviter un véritable massacre.

Elle a saisi un autre walkie-talkie avant de lancer : « Lavergne, tu m'entends ? »

Je scrutais la foule qui s'agitait dans la rue. Je savais que les chances d'apercevoir un type avec dans la main un walkie-talkie étaient minces. Presque inexistantes.

« C'est maintenant, Lavergne. Ça commence à brasser sérieusement. Tu y vas maintenant, ou tu laisses tomber.

— O.K. »

Dans la rue, les manifestants se sont mis à applaudir, à siffler, à chanter. J'ai levé les yeux pour apercevoir quatre gars sur le toit de la ZEMCO. Une immense bannière s'est alors déroulée sur la façade de l'usine.

NOUS NE PAIERONS PLUS POUR VOS CRISES.

UN AUTRE MONDE EST POSSIBLE !

Peint en rouge, ce graffiti géant ondulait sous le vent qui gonflait la toile.

Le photographe mitraillait la scène, alors que la fille jubilait carrément devant le succès du coup d'éclat.

« Cool, Lavergne ! Je savais que tu y arriverais », a-t-elle dit dans son walkie-talkie.

Frustrés, les flics ont resserré le rang qu'ils formaient autour de la ZEMCO.

« Pas mal, non ? m'a lancé la fille.

— Mais comment il a fait, avec tous ces flics ?

— Ils ont passé la nuit sur le toit. »

Pour reprendre le contrôle de la situation, les anti-émeutes se sont mis à frapper sur les manifestants sans aucune discrimination, semant, du coup, une panique de tous les diables.

« Faut vider la place, elle a commandé. Ils vont finir par en tuer un. Ramassez votre monde et passez le mot… »

La réponse lui parvenait en un grésillement incompréhensible qui avait pour conséquence de tendre ses nerfs au max. Elle marchait de long en large, gesticulait et ordonnait de tout arrêter.

« C'est pas compliqué, crisse, on vide les rues ou on se fait massacrer. Tu sais c'est quoi, une souricière ? Ben c'est tout droit vers ça qu'on se dirige. Faites vider la rue. On recommence demain… On se rejoint au QG pour le décompte des blessés et des arrestations avant de rencontrer les journalistes. Gêne-toi pas pour en beurrer épais. Tu sais comment ils sont, si y a pas de blessés graves, y a pas d'intérêt. »

Puis, elle a éclaté en sanglots. D'épuisement, de peur ou de rage. Le photographe l'a prise dans ses bras et je ne me suis jamais senti aussi inutile qu'à ce moment-là.

Dans la rue, le mot d'ordre s'est vite répandu. Par grappes, les émeutiers se sont regroupés, scandant leur colère et promettant une nouvelle rencontre le lendemain. Jonché de débris, le sol semblait recouvert d'une brume stagnante qui bleuissait la scène. Quelques irréductibles casseurs affrontaient toujours des flics à cran qui en profitaient pour épingler les plus imprudents.

«On fout le camp, a lancé la fille au photographe. Ramasse ton matériel et on décampe. Toi, me dit-elle, tu restes ici encore une heure. Si tu veux pas te retrouver en prison à te faire claquer la gueule, t'attends que les flics se soient retirés. Et demain, tu devrais rester chez toi. T'es une proie trop facile avec ta canne et, comme t'as pu le constater, j'en ai déjà plein les bras. »

M'enlevait-on mon droit à l'indignation ? M'empêchait-on de clamer haut et fort mon dégoût de ce monde ?

«Tu sais où je peux trouver Marie ? »

Elle a haussé les épaules comme si je venais de formuler la plus stupide des questions. Elle avait, visiblement, d'autres chats à fouetter.

Les rues se vidaient peu à peu. Quelques policiers continuaient leurs arrestations, alors que d'autres ne bougeaient pas d'un cil. Je me voyais coincé sur ce toit où le soleil régnait en maître. Même pas la moindre petite tache d'ombre. La fille m'a refilé deux bouteilles d'eau en précisant que j'en avais pour une heure, deux max.

J'ai tenté pour une énième fois de rejoindre Marie. Toujours le vide. Cette absence commençait à m'inquiéter. Sauf pour les quelques irréductibles qui narguaient toujours les flics, la rue se trouvait à toutes fins utiles déserte. L'air enfumé me chauffait les yeux et j'imaginais l'état lamentable de mes poumons.

Ni Marie. Ni Karl. Ni Francis. J'ai plongé mon cellulaire au fond de ma poche en les envoyant tous au diable.

Dix-neuf

« Alors ?

— Alors quoi ? Ce serait peut-être à moi de poser les questions. Tu nous laisses sans nouvelles, tu disparais, personne sait ce que tu fais *véritablement* et c'est encore à toi de poser les questions ?

— Fais pas chier, Marc. Tu le sais que j'en avais par-dessus la tête avec la manif. Tu penses vraiment que je pouvais me permettre d'appeler pour donner des nouvelles ?

— T'as quand même pris le temps d'emprunter le bateau de Luis.

— Bon, je vois que Karl a toujours du mal à tenir sa langue.

— T'aurais dû y penser, Marie. Toi qui le connais par cœur, ton petit frère...

— C'est pas ce que tu penses. D'ailleurs, je sais pas ce que tu penses. On va s'expliquer, Marc. Demain, si tu veux. Je vais tout t'expliquer.

— Ben oui, Marie, demain. À propos, tu féliciteras ton copain Lavergne pour sa prestation d'hier. Le coup de la bannière, c'était génial.

— Laisse tomber ton sarcasme. Pour le moment, je veux savoir si tu seras à la manif aujourd'hui...

— Honnêtement, je vois pas pourquoi j'irais. Imagine un peu une poule au milieu d'une autoroute à l'heure de pointe et t'as une idée de ma journée d'hier. J'ai fini la journée sur un toit à me faire chauffer la couenne comme un porc.

— Mais tu dois y être, Marc. Tu dois y être absolument. »

Elle s'était mise en mode conviction et je savais qu'on ne sortait pas de cet étau aussi facilement. Mais je n'avais pas toute la journée à lui consacrer. Pour moi, tout comme pour elle, le temps pressait. Pendant qu'elle jouait au cowboy avec ses copains, je séquestrais le paternel et lui assurais du coup une fin possiblement glorieuse. Je lui épargnais la honte et la disgrâce. Sans moi, elle courait tout droit à sa perte et devenait à coup sûr la risée de la ville. La digne héritière de son père.

« On vient de traverser une période difficile, Marie. T'as beau dire, mais on s'est perdus de vue.

— Ben non, Marc. J'étais occupée. Tu le sais, pourtant. J'avais plus cinq minutes pour moi… »

Je luttais pour ne pas céder à cette maudite façon qu'elle avait de me mettre dans sa poche.

« Après ça, Marc… Après ce coup-là, je te jure que je retourne à la littérature, et pour de bon. Et ce roman-là, tu vas vraiment l'aimer. »

Bon sang ! je me disais. Elle était vraiment prête à tout. Me faire cette promesse, à moi qui finissais toujours par l'énerver quand j'abordais le sujet.

« Tu vas y être ?

— Merde, Marie, je suis plus encombrant qu'utile. Comment tu veux que je me démerde dans une foule d'exaltés qui ont pas assez de leurs deux jambes pour filer ? T'as pensé à ça ? Tu veux absolument que je me fasse casser la gueule ?

— Je peux appeler des amis qui vont te trouver un endroit où tu seras à l'abri… »

— Non, laisse, je connais.

— Je vais aller te chercher, si tu veux.

— Surtout pas.

— Je suis là dans une heure et je vais te trouver un coin tranquille où tu pourras nous aider.

— Pas besoin, Marie. Ça va aller. »

Je regardais Victor brasser un gallon de peinture tout en me jetant des coups d'œil. Je lui ai envoyé la main avant de lever le pouce pour lui signaler qu'il venait d'avoir une idée formidable. Repeindre le toit à 35 degrés, on pouvait pas souhaiter mieux.

« Dans des opérations du genre, Marc, tout est minutieusement calculé. Ça peut aussi arriver que ça chie. Mais tu peux me croire, j'ai tout vérifié. Je serais plus tranquille si tu me promettais de venir à la manif. »

Je me suis éloigné en maudissant l'insistance de Marie. Vic commençait à suspecter quelques ennuis. Mon large sourire le rassurait à peine. Fallait pas qu'elle entende sa voix. J'ai croisé les doigts sans le quitter des yeux.

« Écoute, Marie, je comprends pas ce que tu racontes et…

— Pas grave, je t'expliquerai. Tu me jures d'être là ? »

C'était la toute première fois que je lui mentais. Depuis toujours, c'était la première fois que je me défilais. J'avais, dans le passé, bafoué des amitiés, laissé tomber des filles, interrompu des relations pour accourir quand ma sœur me lançait un S.O.S. Je ne serais tout de même pas allé jusqu'à prétendre que j'aurais donné ma vie pour elle, mais… De toutes façons, nos vies se mariant si parfaitement, la lui donner n'aurait été que lui rendre une moitié de la sienne.

« Des ennuis ? m'a demandé Victor une fois la conversation terminée.

— Non, tout est parfait. Une petite mise au point à faire.

— Avec ta Mado ?

— Ouais. Rien de sérieux. »

J'ai levé la tête pour tenter d'estimer ce qui nous attendait, côté météo. Je me suis approché de la rivière pour réfléchir à tout ce qui semblait débouler d'un seul coup. Qu'elle revienne sérieusement à son travail d'écrivaine restait encore la meilleure nouvelle des derniers mois. Encore fallait-il qu'elle ne m'ait pas floué avec son annonce. De toutes façons, j'allais y voir et, au besoin, la talonner. Dans la mesure du possible, parce que je comprenais que les choses n'allaient plus être tout à fait les mêmes. Ses heures passées à sa plume et les miennes accrochées à ma canne allaient forcément créer quelques nuances. Pour ne pas parler de distances.

Vic se battait avec l'échelle qu'il essayait d'installer sur le bord du toit.

« Tu te sens vraiment d'aplomb pour monter là ?

— C'est pas haut. La pente est douce. Y a pas de danger.

— Je m'inquiète surtout pour la descente.

— Quoi ?

— Ben, si je sais bien compter, t'as déjà trois bières derrière la cravate.

— C'est une blague que tu me fais là ? T'es en train de me dire que trois bières sont capables de m'assommer ? C'est ça, l'opinion que t'as de ton père ? »

C'était pas vraiment ce que je prétendais, mais j'étais pas d'humeur à reculer sur les principes les plus élémentaires de sécurité. J'avais vu assez d'estropiés sur les chantiers pour m'autoriser un peu de fermeté.

« Des gars qui se retrouvent en morceaux après une chute, je sais ce que c'est. »

On s'est finalement entendus sur un compromis qui, à mes yeux, n'en était pas un. L'idée était qu'aucun de nous deux ne perde la face. Je connaissais assez les hommes pour savoir que concéder, c'est se laisser humilier. Ces bravades inutiles avaient été le pain quotidien de tous les gars avec qui j'avais travaillé. Avec mon père, c'était de l'inédit.

Je me demandais si seulement une fois dans son existence il avait été contredit. La vitesse avec laquelle il a balancé la controverse et a conservé son optimisme débridé m'a convaincu qu'il s'en foutait. Vic acceptait mollement l'adversité, s'en accommodait et gardait le cap sur cette fameuse route qui restait la sienne.

Voulait-il m'en faire la démonstration quand il a tiré de sa poche une bouteille pour la décapsuler et se rincer la dalle?

Il s'est finalement attaché un câble autour de la taille, alors que je nouais l'autre bout à un pilotis du côté inverse.

Je le regardais travailler tout en chassant mes remords d'avoir menti à Marie au lieu d'insister pour qu'elle comprenne ma situation. Je savais bien que lui tenir tête représentait tout un défi que trop peu de fois j'avais relevé. Mais le mensonge, ce refuge des couillons, venait entacher notre histoire que, jusque-là, on avait menée les yeux braqués sur la réalité dont on avait fini par s'accommoder.

J'avais un livre dans les pattes, mais je restais incapable de me détacher les yeux du toit où s'activait Victor. Il chantonnait un air que je ne connaissais pas, mais qui lui donnait une tête enjouée. Rieuse, même. Les choses allaient bon train. Malgré un bon nombre de maladresses, il parvenait à rougir la toiture à une allure qui me surprenait. Pourtant, ma mémoire ne me jouait pas de tour:

la veille, il s'était endormi tout aussi givré que les autres soirs.

« J'imagine que tu sais que c'est la fin de semaine de la manif?

— Ouais, je me suis souvenu de ça hier soir. C'est là que t'as passé la journée?

— En partie, oui.

— Je me suis demandé pourquoi tu m'avais gardé ici. Comme si tu voulais pas que j'y participe. Avec tous les étrangers qui se promènent… J'ai pensé: peut-être qu'il a honte de moi. Peut-être qu'il s'est mis dans la tête que je saurais pas me comporter. Mais j'ai fini par me convaincre que tu voulais sans doute protéger ton vieux père. C'était plus acceptable, si tu vois ce que je veux dire. Moins honteux de me convaincre que tu as fait ça pour m'éviter d'être blessé. »

Je saisissais le cynisme de chacune de ses phrases. Il comprenait parfaitement le sens de mon petit jeu des derniers jours. Mais on ne pouvait plus reculer. Ni lui ni moi. On se retrouvait entre hommes, encombrés par un lien mal défini, mal nommé, mais non moins réel. Un père et un fils bringuebalant entre l'amour filial et la haine d'une absence trop définitive. Comme en équilibre sur la fragilité du silence. On ne pouvait que continuer en espérant qu'une relation moins éclatée soit à l'avenir possible entre nous.

Midi.

J'étais certain que là-haut, dans les rues de Rivière-Sainte-Camille, des gueules se faisaient fracasser, du sang giclait, des matraques fendaient l'air, des bombes lacrymogènes éclataient et des poumons se déchiraient. L'espoir tenait le coup. Les solidarités se tissaient, les drapeaux claquaient. On s'inventait des lendemains radieux à l'aide de slogans, jugulant du coup l'hémorragie du vide.

Et j'enviais tous ceux ainsi portés par la vague. Tous les feux d'artifice dans leur tête. Le regard crucifié mais le désir plus gros que la panse.

Et je maudissais ce camion qui était apparu un soir d'automne sans se soucier du motocycliste qui roulait.

La tête ailleurs.

Trop vite et sans urgence.

Sirène.

Gyrophares.

Hôpital. Civière. Mal. Examens.

Diagnostic: ben voilà, monsieur, à l'avenir ce sera comme ça.

Moche.

Midi dix.

« Une petite faim?

— Ouais, bonne idée. Mais pas beaucoup.

— Je m'en occupe. »

J'ai sorti deux fromages et un pain que j'ai tranché. Une tomate, aussi. Il restait un fond de riesling que je me suis envoyé vite fait. On ne peut pas toujours tout partager. J'ai fouillé dans mes disques pour mettre la main sur une musique qui nous aurait accompagnés le temps du repas et j'ai constaté que j'en écoutais trop peu. Je m'étais laissé avaler par tout ce qui avait rôdé au cours des dernières semaines. Perdu de vue, voilà. J'arrivais mal à me reconnaître, comme si les impulsions qui me menaient par le bout du nez appartenaient à un autre gars.

Midi vingt.

« On bouffe?

— J'arrive. Juste le temps de finir de peinturer ce coin-là et je descends. »

Sous mes pieds, la terre a frissonné. Vic et moi, on s'est regardés, encore abasourdis par ce grondement qui venait de là-haut.

« C'est le tonnerre, ça ?

— Non. Sûrement pas. C'est trop… Trop terrestre. »

J'ai levé les yeux au-dessus de mon père. Plus haut, dans la montagne, les grandes épinettes semblaient prises de secousses incontrôlables. Certaines disparaissaient, couchées par une force encore invisible. La peur s'est installée, comme si elle s'agrippait en moi jusqu'à me posséder tout entier.

« Faut que tu descendes de là. Vite, descends ! »

Mon père s'affairait, les doigts tremblants, à défaire le câble qui lui entourait la taille.

Une autre détonation a fracassé ce qui restait de silence et a balayé les quelques doutes qui tournaient dans mon esprit. « L'eau est à la rivière ce que le sang est à la veine », avait écrit Marie. Je l'entendais battre les tempes de la montagne.

Puis le mur est apparu. Il fonçait, fluide et rageur. Il se fendait sur les arbres, s'éclatait sur les pierres pour se ressouder aussitôt. Je me suis senti dans un espace vidé de tout, un instant suspendu, irréel. Impossible de grimper à un arbre et encore moins d'aller rejoindre Victor qui s'était couché sur le toit et s'y accrochait.

Je cherchais du regard un refuge possible. Je ne voyais plus rien que ce flux massif. Je me suis accroupi quand une masse m'a frappé, enveloppé, et m'a projeté dans la Sainte-Camille qui se gonflait. Revenu à la surface, j'ai manœuvré du mieux possible pour me tirer d'affaire en guidant ma dérive vers des arbres qui baignaient leurs racines dans la rivière, laquelle s'élargissait jusqu'à inonder les terres au delà de ses rives. Je ne reconnaissais plus ce paysage que j'avais pourtant sous les yeux depuis des mois. Je glissais sans savoir vers où. En amont, la pointe de terre qui s'avançait dans l'eau n'existait plus. Et j'imaginais que les baies s'étaient remplies, les tournants, redressés. Des rapides s'étaient peut-être reformés dans la zone pierreuse du parcours.

Je ne voyais plus ma maison. Ni le grand chêne qui la surplombait. Tous mes repères s'étaient envolés. Je me retrouvais plongé dans un monde que je connaissais mal. Je me suis extrait d'un remous en attrapant une branche que je souhaitais assez solide pour me maintenir, le temps que je reprenne mon souffle et mes esprits.

Le lac ne devait plus exister. Ou à peine. J'imaginais ce territoire dévasté, des quais arrachés, des maisons cossues bordant ce qui ne devait plus être qu'une flaque boueuse et puante.

Le Lac-aux-Lièvres.

« Ouvrir la porte du gîte » pour libérer les lièvres…

C'était ça que j'avais eu sous les yeux dans le bureau de Marie. Son plan.

« Sud-est. Le plus à l'est possible. »

Mauvais calcul, Marie. Fallait viser plus à l'est encore. On ne sait jamais avec les montagnes. Elle qui avait tout calculé ! « … ça peut arriver que ça chie », avait-elle précisé.

J'ai salué son cran, ai glorifié son imagination. Arriver à ça avec une poignée de copains méritait que je lui lève mon chapeau. Utiliser la manif comme écran de fumée et en profiter pour faire sauter le barrage, pour qu'il s'écroule comme un mauvais château de cartes, c'était tout bonnement formidable.

J'ai flotté d'une branche à l'autre avant de me hisser sur la terre ferme. J'avais l'impression qu'on entendait mon rire jusque dans les rues de Rivière-Sainte-Camille tellement la forêt avait retrouvé son calme. L'eau coulait lentement, retrouvait son rythme, roulait sur son lit, gavait ses rives, pour aller grossir le fleuve.

Même le silence me paraissait nerveux. Aucun cri. Aucun S.O.S. Même les oiseaux se taisaient. J'ai scruté les branches, dans l'espoir d'apercevoir une main aux doigts noueux qui s'y serait agrippée. Ou une grosse tête surgie des profondeurs pour me lancer son sourire grisâtre. Mais je savais. Je le sentais bien, ce fardeau, glisser de mes épaules pour aller se répandre dans ma cage thoracique, jusque dans mes membres. Je le sentais m'irriguer, fouetter mon sang, me gonfler le cœur et m'étourdir la cervelle.

J'ai fermé les yeux, les coudes bien plantés au sol, j'ai relevé la tête pour sentir le soleil entre les feuilles me chauffer les paupières.

Je songeais à une façon de sortir de là. Mais rien ne pressait. Je voulais goûter pleinement ce moment qui ne reviendrait jamais, l'étirer, en imprégner ma mémoire. Si j'ignorais l'heure, je savais qu'on était dimanche, le septième jour. Celui du repos.

Me restait plus qu'à ramper à travers les bois jusqu'à la route tout en haut de la montagne. Puis jusqu'à elle. Me restait plus qu'à la féliciter pour l'ensemble de son œuvre, son audace et son amour toujours sous la torture des urgences qui s'accumulent.

Me restait plus qu'à la remercier.

Mon attention a été attirée par une masse rouge qui flottait tant bien que mal au beau milieu de la rivière. Sans surprise, j'ai reconnu le toit de ma maison fraîchement peint par mon père, Victor. Ce bon vieux Vic que j'imaginais en train de racler le fond de la Sainte-Camille, alourdi par le poids de son éternelle ivresse.

Dans la même collection

Donald Alarie, *David et les autres*.
Donald Alarie, *J'attends ton appel*.
Donald Alarie, *Thomas est de retour*.
Donald Alarie, *Tu crois que ça va durer?*
Émilie Andrewes, *Les cages humaines*.
Émilie Andrewes, *Eldon d'or*.
Émilie Andrewes, *Les mouches pauvres d'Ésope*.
J. P. April, *La danse de la fille sans jambes*.
J. P. April, *Les ensauvagés*.
J. P. April, *Histoires humanimales*.
J. P. April, *Mon père a tué la Terre*.
Aude, *Chrysalide*.
Aude, *L'homme au complet*.
Noël Audet, *Les bonheurs d'un héros incertain*.
Noël Audet, *Le roi des planeurs*.
Marie Auger, *L'excision*.
Marie Auger, *J'ai froid aux yeux*.
Marie Auger, *Tombeau*.
Marie Auger, *Le ventre en tête*.
Katia Belkhodja, *La peau des doigts*.
Lise Blouin, *Dissonances*.
Pan Bouyoucas, *Cocorico*.
André Brochu, *Les Épervières*.
André Brochu, *Le maître rêveur*.
André Brochu, *La vie aux trousses*.
Serge Bruneau, *Bienvenue Welcome*.
Serge Bruneau, *L'enterrement de Lénine*.
Serge Bruneau, *Hot Blues*.
Serge Bruneau, *Rosa-Lux et la baie des Anges*.
Roch Carrier, *Les moines dans la tour*.
Daniel Castillo Durante, *Ce feu si lent de l'exil*.
Daniel Castillo Durante, *La passion des nomades*.
Daniel Castillo Durante, *Un café dans le Sud*.
Pierre Chatillon, *Île était une fois*.
Pierre de Chevigny, *S comme Sophie*.
Anne Élaine Cliche, *Mon frère Ésaü*.
Anne Élaine Cliche, *Rien et autres souvenirs*.
Hugues Corriveau, *La gardienne des tableaux*.
Esther Croft, *De belles paroles*.
Esther Croft, *Le reste du temps*.
Jean Désy, *Le coureur de froid*.
Jean Désy, *L'île de Tayara*.
Jean Désy, *Nepalium tremens*.
Danielle Dubé, *Le carnet de Léo*.
Danielle Dubé et Yvon Paré, *Le bonheur est dans le Fjord*.
Danielle Dubé et Yvon Paré, *Un été en Provence*.
Louise Dupré, *L'été funambule*.
Louise Dupré, *La Voie lactée*.
Marc Forget, *Versicolor*.
Pierre Gariépy, *L'âge de Pierre*.
Pierre Gariépy, *Blanca en sainte*.

Pierre Gariépy, *Lomer Odyssée*.
Guy Genest, *Bordel-Station*.
Bertrand Gervais, *Comme dans un film des frères Coen*.
Bertrand Gervais, *Gazole*.
Bertrand Gervais, *L'île des Pas perdus*.
Bertrand Gervais, *Le maître du Château rouge*.
Bertrand Gervais, *La mort de J. R. Berger*.
Bertrand Gervais, *Tessons*.
Anne Guilbault, *Joies*.
Hélène Guy, *Amours au noir*.
Andrée Laberge, *Le fin fond de l'histoire*.
Andrée Laberge, *La rivière du loup*.
Micheline La France, *Le don d'Auguste*.
Marie-Renée Lavoie, *La petite et le vieux*.
Hugo Léger, *Tous les corps naissent étrangers*.
Claude Marceau, *Le viol de Marie-France O'Connor*.
Véronique Marcotte, *Les revolvers sont des choses qui arrivent*.
Patrice Martin, *Le chapeau de Kafka*.
Felicia Mihali, *Luc, le Chinois et moi*.
Felicia Mihali, *Le pays du fromage*.
Pascal Millet, *Animal*.
Pascal Millet, *L'Iroquois*.
Pascal Millet, *Québec aller simple*.
Marcel Moussette, *L'hiver du Chinois*.
Clara Ness, *Ainsi font-elles toutes*.
Clara Ness, *Genèse de l'oubli*.
Madeleine Ouellette-Michalska, *L'apprentissage*.
Yvon Paré, *Les plus belles années*.
Michèle Péloquin, *Les yeux des autres*.
Jean Perron, *Les fiancés du 29 février*.
Jean Perron, *Visions de Macao*.
Daniel Pigeon, *Ceux qui partent*.
Daniel Pigeon, *Chutes libres*.
Daniel Pigeon, *Dépossession*.
Hélène Rioux, *Âmes en peine au paradis perdu*.
Hélène Rioux, *Le cimetière des éléphants*.
Hélène Rioux, *Mercredi soir au Bout du monde*.
Hélène Rioux, *Nuits blanches et jours de gloire*.
Jean-Paul Roger, *Un sourd fracas qui fuit à petits pas*.
Martyne Rondeau, *Game over*.
Martyne Rondeau, *Ravaler*.
Jocelyne Saucier, *Il pleuvait des oiseaux*.
Jocelyne Saucier, *Jeanne sur les routes*.
Jocelyne Saucier, *La vie comme une image*.
Pierre Tourangeau, *La dot de la Mère Missel*.
Pierre Tourangeau, *La moitié d'étoile*.
Pierre Tourangeau, *Le retour d'Ariane*.
André Vanasse, *Avenue De Lorimier*.

Suivez-nous:

Achevé d'imprimer en mars deux mille douze
sur les presses de l'imprimerie Gauvin,
Gatineau, Québec